この本のなかには
1000のかわいい
手づくりの雑貨が
あります

かわいい手づくり雑貨　もくじ

#1 着るもの つけるもの ❽

手づくりの服
ハンドメイドのアクセサリーたち

洋服製作／mannenRouさん（p.34～p.36）

54 #2 くらしのなかで つかうもの

身のまわりという名の場所
日々という名の時間のなか
手元におきたいもの
毎日つかいたい雑貨たち

#3 しあわせな むかしのかたち 88

あなたのお母さんがまだ少女だったころ
それまで見たこともない手づくりのかたちが
次々とうまれた、しあわせな時代へ

この本の読みかた

この本の名前の通り
ページをめくっていくと
ちょうど1000の手づくりの雑貨と
であうことができます
赤い数字が1000個目までを数えていきます
最初ひとつめは
この卵のかたちの人形たち **0001**

それぞれの雑貨を手づくりした作家の探しかた

それぞれの雑貨のページに作家の名前と
プロフィールのあるページの表示があります

ニットを編んでかわいい卵のかたちの人形たちを
つくってくれたのは → **p.174** junk-kittenさん

★プロフィールの紹介は、いまの時代の国内の手づくり作家のみとなります。ご了承ください

#4 人形と動物たち 108

いつまでも いっしょにいたい ともだち

#5 絵のある雑貨 142

紙もの 布もの 文房具 描くことから生まれたもの

#6
この本に登場した手づくり雑貨の作家さんプロフィール

1 6 1

たとえば、p111に登場したこのはりねずみくんをつくった
作家は、こむらたのりこ/ko'mu さんです

1000の雑貨のなかから きっと見つかる

たったひとつの 宝物さがし

この本は「くりくり」の編集室が つくりました

手づくりのたのしみ、すてきないろとかたちがいっぱいの
シリーズブックス
この「かわいい手づくり雑貨」のいくつかのページも
「くりくり」のバックナンバーのページをアレンジしています

最新号は全国の本屋さんで二見書房より発売中
バックナンバーも注文できます

「くりくり」編集室が運営するお店
東京神田神保町のAMULETでは
この「かわいい手づくり雑貨」に掲載の
作家さんたちの作品たちとも
であえます
www.mecha.co.jp/amulet
tel&fax. 03-5283-7047

AMULETのお店のなかの
p.8のRicoさんの手づくりアクセサリーのテーブルです

ページをめくって でかけよう

#1 着るもの つけるもの
手づくりの服 ハンドメイドのアクセサリーたち

0014

0015 ブローチのなかはマトリョーシュカの住まいです

0016 ペンダントヘッドにお人形

0017 どんな服に合わせよう？

すこしむかしの
おもちゃのような
かわいいいろ
くっきりしたかたち
ちょっと大きめ
でも、それがたのしい
アクセサリーたち
→p.175 HANNAHさん

0018

0019 むかしのモールのかざりを素材に

0020

0021 ボタンの花のネックレス 作家のイニシャル付

0022 レトロなかたちのバックルがブローチになりました

0023

赤いシルエットがかわいい女の子 0024

1 0 着るもの つけるもの

0025
p.8のRicoさんの作品
スミレがすてき
鍵のペンダントと別々につかうこともできます

黄のリボンもRicoさんがつくりました **0026**

0027
0028
0029

ファーにのったかわいいマトリョーシカと
赤いチェリーのブローチ
クリスマスカラーの指輪
p.9のHANNAHさんの手づくりアクセサリー

着るもの つけるもの

0030
0031 プリント生地の ちいさな柄を切って 貼りあわせて
0032
0033 素材のかたちも自由 重いのままに重ねてみると
0034 ちいさな リース ブローチ
0035 かわいい ギター ブローチ

紙や布をデコパージュの仕上剤で 固めてパーツをつくります

0036
0037
0038 レースもおおきな鳥カゴのよう
0039 バッグレットのパーツに つくりました
0040

0041 レースをベースにブレスレットもつくりました

0042 くるくる ロンドのブローチ
0043
0044
0045 レースをベースにブレスレットもつくりました

紙や平面を飾るデコパージュを方法を工夫して布やチャームのパーツ素材も重ねて貼っていままで見たこともないアクセサリーをつくりました→**p.168** 原田ひこみさん

0046

0047

0048 世界でひとつコラージュの宝物

一着一着 手づくりした服
布やレース、ボタンや糸の素材えらびから、デザイン、ミシン縫いから仕上げまで、ひとりでつくったり
誰かといっしょにつくった服
着ることの心地よさ、からだをつつんでいることのしあわせを、遠い空から運んでくれる
青い鳥のよう

0049
ちいさな水滴みたいな柄
いろのコントラストも
きれい
→ p.175 サチさん
ユカBさん

0050
絵本の住人が着ているよう
ていねいにつくられています
p.175 サチさん
→ユカBさん

着るもの つけるもの ❶ ❺

手刺繍の糸で描かれたサボテンとポケットがとてもかわいい **0052**
→ **p.175** miho from tequila sistersさん

0051
デザインと
布のいろと質感が
ぴったり
→ **p.175**
miho from tequila sistersさん

パンツとバック、ゴブラン調のコートは
東京代官山のお店BRIQUE（tel.03-3780-9789）からお借りしました

0053
スカートのうえでゆれる
手づくりのいろとかたち

0054
ある場所いる時間のなか
赤にも朱にも紅にも見える
ワンピース
すてきな布選びから
生まれた作品

0057 ショールも
手づくり

0055
鳥たち
動物たちの
プリントの
布をつかって

すっきり すんなり まっすぐなライン
でも、とてもきれい とてもやさしい
シンプルないろとかたちがリズムをきざむような
服をつくってくれたのは
→ **p.169** 河村アントンさん

0056 ショールもそこにつけた動物たちのミシン刺繍のブローチも河村アントンさんの手づくり

着るもの つけるもの

0058 きれいなガラスの青い鳥

0059 ブレスレットにもほら 青い鳥 小鳥

0060

0061 淡いいろやさしいかたちのちょうちょのモチーフ

1 8 着るもの つけるもの

0062

0063 ピアスもちいさな鳥かごです

0064

0065 真鍮のワイヤーで編んだ鳥かごのなかにうまれた絵本のような世界

0066 白い鳥のリング

0067 胸元でゆれるペンダントヘッドにしてみたり窓辺に飾ってみたり

0068

0069

0072

0070 てんとう虫がポイント

0075

0071

0073

0074

0076 ひとつひとつい白い鳥が
止まっています

0077

0078 白い鳥のゆれる
ブローチ

真鍮やガラスの素材をつかって
鳥たちや自然のかたちを描いて
ちいさなアクセサリーのなかに絵本のような
世界をつくってくれたのは
→ p.169 fiore-tomocoさん

0079 えんどうマメの
たのしいかたち

0080

0081 鳥の巣にならぶ卵のよう

0082 一刺一刺ていねいにステッチ

0083

0084

0085

0086 おざきえみさんの作品。裏地も雪景色のよう

くるみボタンのように
刺繍のブローチをつくってくれたのは
→ p.164 UZUMさん

0088
こちらも
UZUMさんの
刺繍ブローチ

0087 ショールのうえで遊ぶサーカスの動物たち

0087
左ページのショールの表面

❷❶ 着るもの つけるもの

やわらかなリネンやウールにそのまま筆を運ぶようにパッチワークや刺繍で
描かれた動物たち、草花たち。ゆかいなサーカス
服にのせると、子どもの頃の夢がふんわり心に浮かぶよう → p.163 おざきえみさん

0089 いろづかいも かたちもかわいいマフラー

切手も刺繍で描かれています **0090**

0091
3つのいろのバラのブローチ

0092

0093

ニードルでしっかりていねいに
3つのブローチをつくってくれたのは
→ **p.171** 坪井みかさん

0094

やさしく花弁のかさなる
2つのブローチをつくってくれたのは
→ **p.162** Sleepy Sheep ; Soapさん

0095

0096
白花のアクセはNICOさんの作品

0097

シンプルないろとかたちのアクセサリーをフェルトでつくってくれたのは
→ **p.164** Hand Made Felt NICOさん

0098 ちょうちょのフェルトブローチ

まあるいリング
白玉もよう
0099

フェルトボールをつないだ **0100**
ネックレス

0101
ちょうちょと花の
かわいいつけえり
シンプルな服にちょんと
つけると似合いそう
→ **p.163** おざきえみさん

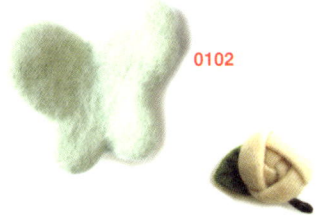

0102

着るもの つけるもの

0103
"森の歌＝forest song" をテーマにさまざまな
ビーズとパーツを組み合わせて世界でひとつの
ネックレスをつくりました

0104
大好きなチェコビーズをつかって

白いてんとう虫が
ブローチに止まっています
0105

0107 花のピアスとブレスレット
0106

0112 これはプラハかな？

旅してみたいヨーロッパの街をビーズで描いたペンダント
じっと見つめて、どこの街だか当ててごらん

森の風景を切り取った
リースのようなブローチ

ヨーロッパのきれいなビーズたち、すてきなパーツをひとつひとつ集めて
時間をかけてアクセサリーつくってくれたのは → p.166 Pienilokkiさん

0116 コームのうえの
ちいさなガーデン

0119　**0120**

0122 目も口も ちゃんと くりぬきです

お家?のなかにはいろんな景色が **0121**

0124 コックさんとフォーク ピアスです

銀の薄板をちいさなのこぎりで切ってつくった
いままで見たことのなかった切り絵のような
シルバーアクセサリーをつくってくれたのは
→ p.167 nami katsumataさん

鳥、花、女の子……**0123**

0125 女の子の手にもちいさなハート

0126 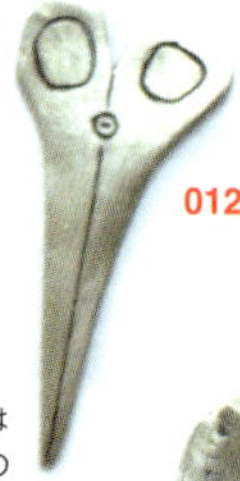　**0127**

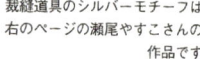

裁縫道具のシルバーモチーフは
右のページの瀬尾やすこさんの
作品です

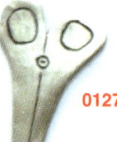

0129

0128

nami kasumata さんの
ペンダントたちです

0130

0132

0131

0133
こちらは
瀬尾やすこさんの糸巻きの
ペンダント

着るもの つけるもの 2 7

粘土のようにつくるアートクレイシルバーで
やさしいかたちのアクセサリーをつくってくれたのは
→ p.164 瀬尾やすこさん

0135
ボタンの
モチーフをそのまま
ブローチパーツに

0134 かわいい銀の手づくりボタンたち

花のかたちのボタン 0136

0137
物語をイメージして
レリーフにして

レリーフのペンダント 0138

0139

0140

着るもの つけるもの ❷ ❽

0141
レースとアクセサリー
パーツのコラージュ
ソーイングがすてき

ースを染めて縫い合わせつくった
けそで。いろんな服に似合いそう。
→ **p.165** tamaoさん

0142
ちいさな針山

p.27 の瀬尾やすこさんの手づくりのシルバーモチーフ
コラージュソーイングのパーツとしてもつかえそう

0143

0144 ボビンたち

0145
0146
0147
0148
0149
0150 波がけずったガラスをつかって
0151 かわいいヘアピンたち
0152
0153
0154
0155 
0156 ひもに結んでペンダントをつくりました
0157 ちいさなクリスマス
0158 
0159 
0160
0161

浜辺でひろった海からの贈り物
一日の時間のなかで見つけた
ちいさなもの
手にしたかけら
樹脂をつかって
固めてつくった
アクセサリーと素材たち
→ **p.170** chicolitaさん

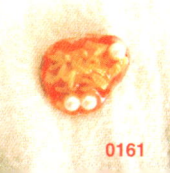

0163 まるでスズランの花のようなガラスパーツのレイアウト

服づくりもできる作家さんならではの糸づかい
0162

0164 いろとかたちのアンサンブル♪

レースを染めてオリジナルのいろに
0166

0165

ひとつひとつぴったりの服をさがしてつけたいアクセサリー
→ p.175 Lilimelliaさん

0167 ひもの真鍮の素材の遊びがたのしいネックレス

着るもの つけるもの

0168 ふんわりモヘア
淡いいろあいのウールの編み物コーム

0171

0172 とてもきれいな
いろづかい

0169

0170

モヘアの毛糸から紙のひもまで
編んで結んでかわいいアクセサリーを
つくってくれたのは
→ p.170 KUKKAさん

0175

0173

毛糸それぞれの個性をいかして
0174

0176

細い糸素材で指輪もつくります
0177

紙ひもの素材でつかったぶどうのようなかたち。独創的なアイデアのアクセサリー

0181

0180 レース糸の
ような風合い
でも紙ひもで編んでいます

0178

0179

0182 ブローチに
止まってるのは
ちょうちょ

トリコロールのいろづかい 0183

0184
いろあいが
とてもきれい
とてもかわいい

0185

0189 ヘアゴムは花のかたち

0186

0187 ちょうちょのブローチ
触覚もひもでアレンジ

0188

31ページと同じ作家の手による
ひもで編んだ作品たち
→ p.170 KUKKAさん

0191

0190 花のブローチにもちょうちょがいます

0192

0193 "物語"を見るものに感じさせるペンダント

0194 スパンコールもとてもきれい 遠い国の民族衣装のようなペンダント

3 3 着るもの つけるもの

女の子ブローチ。台紙もかわいい 0195

0196

自然のモチーフを思いのままにつかって 0197

鮮やかないろの糸で思いのままに
手刺繍でアクセサリーをつくってくれたのは
→ p.165 tamaoさん

着るもの つけるもの

0198
表情がとてもかわいい
鳥のブローチ

フェルトでつくった動物たち
ほんのりやさしいまなざし 夢見る瞳
→ **p.167** mannenRouさん

0199
服もブローチをつくる
同じ手で手づくりしたもの
やわらか。とても着やすい

0200 耳をすませば
寝息が聞こえてくるよう

手手元の本にも
きちんとタイトルが
0201

0202 ちいさな黒い瞳 赤い花

0203
白い羽毛から青い翼へ
フェルトのすてきないろづかい

0204
やさしい瞳が
見つめます

0205 赤い毛糸で描いたリボン

0206
食べるしぐさの
かわいいかたち

0207 グレーのうさぎは
青リボン

青えんぴつがアクセント
0208

 着るもの つけるもの

前ページの動物たちのブローチをつくったmannenRouさんの手づくりの服
動物たちのいろづかいは、そのまま毛糸の服のいろあいに
やさしい表情と姿は、そのまま着心地のよい服のかたちに
→ **p.167** mannenRouさん

0209
もこもこ
森の動物のよう

0210
重ね着したシャツもジャケットも帽子もつくりました

0211

0212

0213
樹脂のなか、夏の思い出のような情景

0214 フェルトのブローチ

ちいさなきらきら
スパンコールや
紙の断片、レースを
樹脂のなか
永遠の時間のなかに
閉じ込めて
ほつれたリネンや
糸でアクセサリーを
つくりました
→p.170 むくりさん

0215 リネンのブレスレット

0216

0217

ブローチたち
まるかったり
雲のようだったり

0218

0219

0220
遠い国の
フォークロアを
感じさせる
糸のピアス

0221

③ ⑧ 着るもの つけるもの

0222 手づくりの ちいさな花ピアス

0223 プレッツェルのお菓子を そのまま樹脂でかためて パーツにつかって

0224 ちいさな花びらから ひとつひとつ手づくり ビンテージパーツや ボタンと組み合わせ きれいなパステルの作品を つくってくれたのは → p.165 pleinpanierさん

0225 淡いいろあい 作家の個性を感じます

よく見ると花売りの女の子の姿 **0226**

0227

0228

0229 ボタンと花のかわいいブレスレット

0230

0231

布やボタンの質感もひとりひとつ選んで大切に手づくり **0232**

0233

0234

0235

0236

0237 レースのブレスレットも pleinpanier さんの作品です

0239 ピンクのからだはフェルトで

0240 うろこは生地をまるくカットして

0238

ちいさなちょうちょの
羽にぴったりの柄の
プリントを選んで
0245

0241 レースを
アクセントにして

0246

クラゲのブローチもつくりました
0242

胸元でゆれるかわいいサカナ
鳥たちのブローチを
つくってくれたのは
→ **p.166** MEHERさん

0248

0243

0247

鳥たちのブローチもつくりました

0249 花かざり。どこか酉の市の熊手に似ているような

カラフルなちょうちょと
きれいな花かざりのブローチをつくってくれたのは
→ **p.170** 新保光代さん

0244

0251
ナチュラルな素材をつかいながら
かわいらしさを忘れずに

4
0

着るもの つけるもの

0250
ふくろう
くんは
19世紀の
イギリスの
手づくり

シンプルな布に
かわいいプリントを
コラージュソーイング
0253

0252
絵本のページのように アップリケをのせて

物語を心に浮かべながら手づくりしたような服
着ることで、いまいる場所から物語の世界へ、旅にでかけたくなる服
→ **p.168** Hongou's Factory 久保瑞絵さん

プリントから手づくりした服
絵を描いてシルクスクリーンで
転写しオリジナルの布づくり
そして、絵柄を活かした
見たこともないすてきな服が
生まれました
→ p.169 jujubeさん

0254
スカートのなか
鳥たち 動物たちのいるところ

ぬいぐるみもつくりました

0255

0256

0257

大好きな街の風景。花たち。鳥たち、動物たちの楽園。服づくりを絵づくりのイメージを重ねながら生まれたスカートたち

0258

0260
森のなか
ささやく
住人たち

0261
どんぐりのなかに
りすがいるよう

0259

0262

0263

0264

動物たちとそれをつつむ四季の草花を描いて
アクセサリーのなかに森の世界を
つくってくれたのは → p.163 noonさん

0265

0266

0267

0268

ちいさなビーズの指輪や
ブレスレットも
noonさんがつくりました

0269

0270

0271

0272

0273

0274

0275

0278
白い鳥 小鳥
自然の素材に描かれています

0276

4 4 着るもの つけるもの

0279

0277 アースカラーのきれいないろづかい

0280
キノコのペンダントは
右のページの
BLUE d'art さんの
作品です

0281
リボンは
いつまでも
乙女の印？

0283

糸で描かれた白い鳥 **0284**

0285

0282 三日月の夜空の光景

0286

いろんなかたちと姿の
ステンドグラス
服にのせると存在感が
心地よいアクセサリーたち
→ **p.169** BLUE d'artさん

0287

0288
光をうけるときらきらきれい

0289
いろの組み合わせが
たのしいブローチ

0292
とてもちいさなステンドグラスのピアス

0291

0290
王冠ブローチはとっても人気

前のページの
BLUE d'art さんの
ステンドグラスの
ペンダントたち
0293

0294

0297

0296
乳白色のミルクのような
ガラスに赤い花がくっきり

１２３の数字のペンダント
鉄さびの質感にレースの
やわらかさがたのしい作品
→ **p.171** mara*made さん
0298

0295
こちらも
BLUE d'art さんの
作品です

秋の落葉にまるい雫がきれいな
ペンダントとピアスをつくってくれたのは
→ **p.169** AMITO さん

0301

0299

0300

❹
❻ 着るもの つけるもの

0302

0304
歌う女の子
好きな絵を描いて
そのまま刺繍の下絵にします

0303
好きな場所に
縫いつけて

お気に入りの布を好きなかたちに切ってちくちく刺繍
服やパンツをかんたんリメイク。カスタマイズ

0305

オリジナルのタグ
わたしだけの
ちいさなしるし
→ p.173
イノユミさん

0309

0306

0308

0310
しあわせの青い鳥。鳥かごを飛び出して

0307

0311

④⑧ 着るもの つけるもの

0313 布をまるくつまんでつくったぶどうのブローチ

0312 花かんざしをヘアゴムに

0314

0315

ちいさな布を折りたたみいくつも合わせて花のかたちをつくる
"花かんざし"とも呼ばれるつまみ細工でつくったアクセサリーたち

0316

きれいなブローチ
江戸時代の技をつかってうまれた
いま着る服につけるためのかたち

0317

0318

natsuko since 2006

日本の伝統の"つまみ細工"の技を活かして
モダンなヘアアクセサリーをつくってくれたのは
→ **p.162** natsukoさん

0319

葉のかたちも布をつまんで表現しています **0320**

0321 テーマは"ポーリーヌ"

0322

0326

マカロニをそのまま
つかって固めて

0323

0324

トリコロールのオランダいろ

つまみ細工の作家nastukoさんが布でつくった
世界の国やいろんなテーマをイメージしてつくった
かわいい花のブローチたち
とも布の袋から、かわいいいろとかたちが現れます

テーマは"きのこ狩り" **0325**

50 着るもの つけるもの

0328

むかしから伝わる技法をつかって
いま服につけたいコサージュと
アクセサリーをつくってくれたのは
→ **p.170** equalさん

まるくてかわいい花かたちのコサージュ **0330**

0327
シンプル
まるい花
ペンダント

0329

0331
いろづかいがきれい
青い花コサージュ

0332
胸元にゆれるちいさなスズラン

緑の意外ないろづかいも花弁
レースにあわせてブローチをつくってくれたのは
→ **p.171** mara*madeさん

0334

0333

フランスの伝統のレース手芸を
ピアスやイヤリング
ヘアゴムにアレンジ

0335
0336
0337
0338
0339
0340
0341
0342

フランスですごした日々のなか、手習いをうけたレースで身のまわりのものを
つくるむかしからのデザインと手法
それを活かして、日本ですごす毎日のためにかたちを考えたアクセサリーたち
→ **p.170** conomiさん

0343 レースの指輪は、バイト先への電車のなかで編んで手づくりしたもの

0344
絵本のなかのおさんぽスカート

布用絵の具で生地にそのまま描いて

5 2 着るもの つけるもの

2本取りの太めの糸でざくざく手刺繍をして世界でひとつだけのスカートのできあがり→ **p.173 有賀千夏さん**

#2 くらしのなかで つかうもの

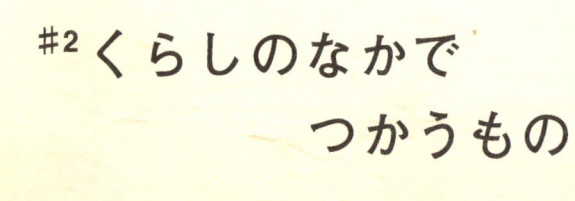

身のまわりという名の場所　日々という名の時間のなか

0345
昼はやさしく夜は明るく
部屋の灯のインテリア
フェルトでつくったつる花ランプ
→ p.163 Ma jolieさん

0346

0347

0350

手元におきたいもの　毎日つかいたい雑貨たち

🅢 🅢

毎日つかいたいバッグ、おうちのティーコゼー
おおきなビスケットのようなポットのマット
鳥や梨の部屋のかざり、壁の絵をフェルトでつくってくれたのは
→ **p.164** Hand Made Felt NICOさん

0349

0348

0351

ふっくらしたかたち。やさしいいろあい
フェルトで手づくりした。くらしのなかでつかうものたち

0353
ころっとした
ランチバック

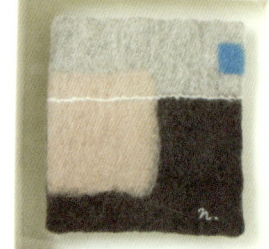

0352
お家のかたち。レターポケット

フェルト絵。部屋の壁に飾りたい
0354

テーブルのうえの
フェルトのコースター
0355

0357
はりねずみ
実はティーコゼー

0356 携帯電話ケースはボンボンつき

5 7 くらしのなかで つかうもの

0358 いつまでも心地よいはきごこちのルームシューズ

キーホルダーでも
ストラップでもつかえます
0359

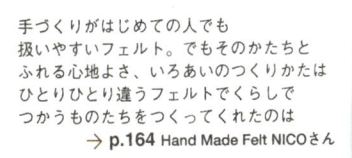

手づくりがはじめての人でも
扱いやすいフェルト。でもそのかたちと
ふれる心地よさ、いろあいのつくりかたは
ひとりひとり違うフェルトでくらしで
つかうものたちをつくってくれたのは
→ **p.164** Hand Made Felt NICOさん

0360
ぺたんこブックバッグ

玄関におきたい
おおきなボタンのかたち
キートレー
0361

0362 おでかけにも買物にもつかいたい

5 8
くらしのなかで つかうもの

毎日つかう手づくりのかたち
バッグという名のもののかたち
毎日すごす時間という名の森へ さがしにいこう

0363

森のなか小鳥と旅する
赤ずきんの絵を
プリントごっこで布にのせた
パッチワークのトートバック
→ **p.173** いしいさくらさん

毎日つかうバック。ひとりひとりの手づくりのかたち

毛糸、レース、ボタン、原毛、いろんな素材をコラージュ
おおかみバック → p.173 モトリーヌ＆ロクメーさん

0364

ラタンで編んだかごのよう
実は、紙ひもを編んで
手づくりしたもの
→ p.171
相馬浩子さん

0366

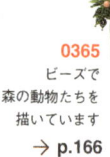

0365
ビーズで
森の動物たちを
描いています
→ p.166
pienilokkiさん

0369

0367 横長だ円かわいいかたち
→ p.166 itaさん

0368

麻や綿のリネンの素材にレースをそえた
心地よいバックたち（0368〜0372）→ p.163 小泉 牧さん

0370

0371
富士山のかたちにつくりました

0372

くらしのなかで つかうもの 6 ①

0373 くりのかたちと質感をイメージして
→ **p.172** yuraric さん

0374

0375 麻や綿の自然布の質感に
刺繍をのせました（0374 〜 0375）
→ **p.164** UZUM さん

0376
鮮やかなブドウを刺繍して
→ **p.165** Tamao さん

シンプルな素材のうえに
ひとりひとりが手づくりの時間のなかで手に入れた技と魔法をのせて

0377
レースのリボンを切って合わせてコラージュ。表と裏はちがう景色
→ **p.173** モトリーヌ＆ロクメーさん

0378

キノコの刺繍がわたしがつくったものの印 **0379** → **p.165** 中根ミワさん

6❷ くらしのなかで つかうもの

0380
アップリケのトートバッグ

好きないろ
心地よい素材をざくざく
フリーハンドで切って縫って
アップリケ
→ p.173 大久保玲子さん

0301
手になじむまんまるミラー

ミラーをいれるきんちゃくにはかわいいお家
0302

森をいく赤ずきん。野の花
ちいさな刺繍をいれた
わたしのくらしのなかの宝物
→ p.171 annasさん

0303
まっしろふんわりポーチ

6 4
くらしのなかで
つかうもの

0384 ちいさなバックのなかは
ソーイングセット

0385 人形の服のようなコートは大切なネックレスの収納ケースでした

0386

0387

ふだんは
すてきな部屋のインテリア

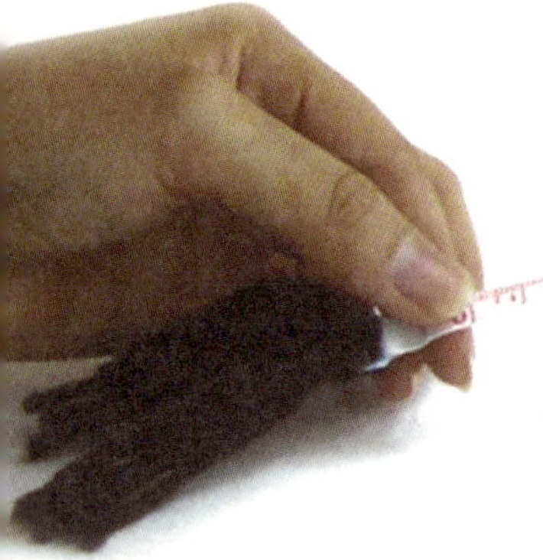

尻尾をひっぱると、メジャーに変身。つかえます

かわいいかたち
でも、くらしのなかで実用的につかえるもの
毎日の時間をたのしくすごしたい
その思いからアイデアがうまれ、手づくりのなかから生まれたものたち
→ **p.163** Ma jolie さん

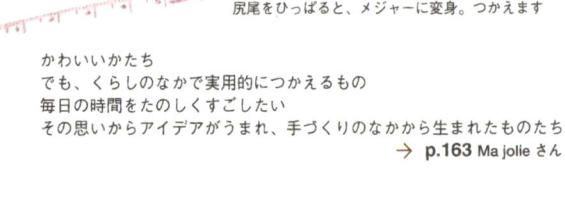

こんなものがあれば。その発想からつくりだした新しい雑貨のかたち

たのしいピンクッションと
キッチンのフィルターホルダーを
つくってくれたのは
→ p.167 Feltata さん

0388

0389
いつでも部屋に
かざっておきたい
ピンクッション

スプーンもさせます

0390
コーヒーのフィルターが
いつでもかんたん
取りだせます

0391

モスグリーンの布で
つくってみると

0387
北欧のダーラナホースのような
おしゃれな馬のかざり
でも、背中の鞍をひろげると、ほらソーイングセットが
しまってあります

6 くらしのなかで つかうもの

0392 くまさんの刺繍をちくちく

0395 袋をとめる結び目もマフラーのよう

0394

0393 ペンケースには万年筆の刺繍です

0396

0397

0398 キーケース ほかにもつかえそう

0399 もちろんデジカメケースです

きんちゃくにはミシンとメジャー
ちいさな糸巻き

手になじむリネンに手刺繍でかわいい絵が描かれた雑貨たち
みんな、くらしのなかできちんつかえる作品ものたちです
つくってくれたのはp.64 の作品と同じく → **p.163 Ma jolie さん**

0400

0405 これはMEHERさんの
カード入れ

裏の布地選びもたのしい

0401

0404 きんちゃくにも
手描きの絵をのせて

毎日の食卓でつかうコースター
布用塗料で手描きの絵を加えれば
一日がちょっとたのしくなりそう
→ p.166 鈴木珠基さん

0402

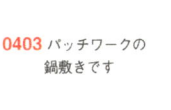

0403 パッチワークの
鍋敷きです

フェルト布の切って縫ってピアノのカード入れを
つくってくれたのは → p.166 MEHERさん

0409

0406

0407

0408

0410

0413 いますぐ旅にでかけたくなるパスポートケース

麻や綿の自然の布に
レースをのせて
糸でとめていく
シンプルな作業から
うまれた奥行きのある
作風とオリジナリティ
→ **p.163** 小泉 牧さん

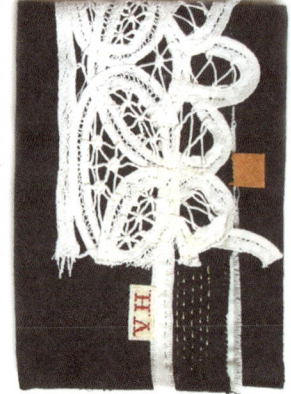

0411

0414

0412

紙もののコラージュのノートにはスタンプものせて
カードケースには刺繍をくわえて

0415

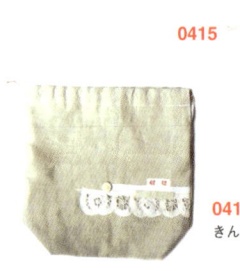

0416 きんちゃく。レースがポイント

0417 パスポートケースをひらいみると

くらしのなかで つかうもの ❻❾

0418 ブックカバーの裏面にもちいさなスタンプ

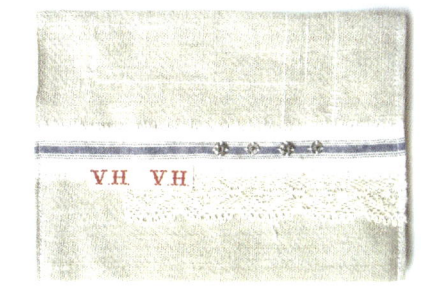

0419

0420 イニシャルの刺繍をポイントにして

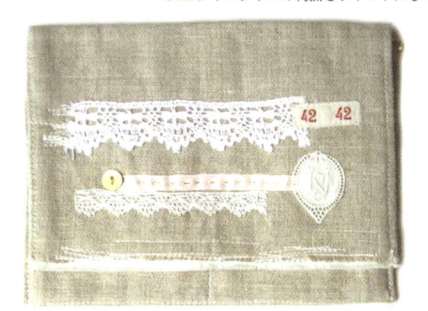

絵を描くようにレースをのせて 0421

0422
プリントの
水玉を活かして

大切な作品をしまうために箱もろうびきの紙で手づくり
0423

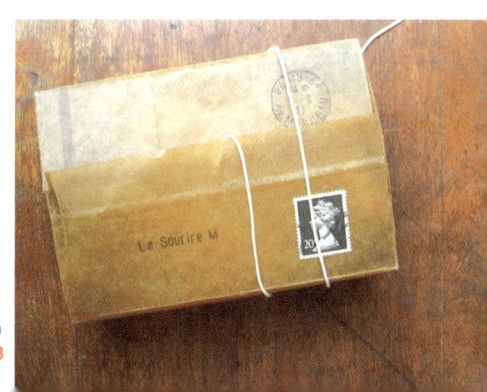

7 0 くらしのなかで つかうもの

0424 p.68 の小泉さんのレースと刺繍のブックカバー
→ **p.163** 小泉 牧さん

0426
太めの糸で
シャンデリアを刺繍
右ページのtamaoさんの作品

家のなか 電車やバスのなか 公園で
"本を読む" というくらしのなかのちいさな旅への扉。手づくりのブックカバーたち

0425
カップがゆれるブックカバー。すてきな喫茶店で本を読むたい
→ **p.163** Ma jolieさん

ブックマーカーは
ティーパック

0427

0429
遠い国
なつかしい景色

ベルベットのような質感の生地にざくざく手刺繍
ブックマーカーのボンボンがかわいい → **p.165** tamaoさん

0428
ベースの柄はプリントごっこで

0430
ちいさな本の虫?のブックマーカーは
次のページのitaさんの作品です → **p.166 ita**さん

ブックカバーを飾る
ボタンが夜空の星座のよう
0430

0431

0435
ポーチは
豆のフォルム？

ヨーロッパの雑貨のようないろづかい
リズムとテンポのあるフォルム。キノコが大好き
→ **p.166 ita**さん

0431

0434
ブック
マークは
本の虫？

0432
水玉の
いろのちがい
リズムをきざむ

0436

0437
名刺やカードがいれられます

0433

7 **3** くらしのなかで つかうもの

0438

秋のくりをテーマにお願いした作品です
ブックカバーでは刺繍のねずみがぐりをくりひろい
ブックマーカーもくりのかたち
→ **p.172** yuraricさん

0439 ハンカチのもちいさなかわいいくりふたつ

7 4 くらしのなかでつかうもの

0440

0442

0444

0441 キーホルダー
すきないろ、動物を選んで

0443

0447 おさいふを開くと

0445  0446

0448 見つめる若葉は刺繍です

0451 縫製の赤い糸もてんとう虫とおなじいろ

0450 毎日会えるちいさなともだち

やわらかないろあいに染めたしっかりとした革に
薄い革をきりぬいた動物たちや自然のモチーフをのせて
つくった毎日のくらしのなかでつかうものたち
→ p.172 yuraric さん

0449

革のボンボンみたいなブックマーカー

0452

森の闇にいるような
地とモチーフのいろの
組みあわせ **0453**

0454 針は刺繍で表現しています

0455

くっきりとしたいろあわせもきれい **0459**

あたたかな部屋のなかにいるよう **0460**

0456

0457

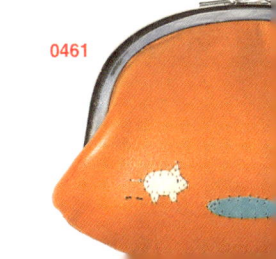

0458 ペンケースにも針ねずみ

0461

0462 大地の土から採った自然の染めのいろ

0463

裏側にもちいさな型染めが

下の写真の表側のネコとおなじ染め

自然の土や植物を素材に
日本にむかしから伝わる型染め手法で
南国の動物たち鳥たちの風景をのせた
ブックカバーと雑貨をつくっているのは
→ p.172 知花江麻さん

大地の土から採ったいろ 0464

0465
日本の小紋もような花のかたち

0466 沖縄のヤンバルクイナです

0467 蔵書票のよう

7 くらしのなかで つかうもの

もうつかわないもの
ひびの入ったカップ、古くなってしまったインテリア
すきな絵や包装紙、写真をコラージュして貼って
デコパージュの仕上剤をぬれば
毎日のくらしのなかでつかいたいものへ
→ p.168 原田ひこみさん

0468
カップから、小物入れ、部屋のちいさなインテリアに変わりました

7 8 くらしのなかで つかうもの

しっかりした金具やボルトが
ミスマッチしてすてきです
0469

一枚一枚絵柄やいろで選んだ世界の切手。たてよこきれいにならんでいます

すきな絵柄の古い切手を集めて
箱やケースの表面に貼り重ねたうえに
デコパージュの仕上剤を何度も塗って
見たこともないバッグをつくって
くれたのは → **p.174** 沖佐々木タマさん

きれいな青に白鳥が浮かぶ
日本の切手がならんだ
ミニバッグ
0471

仕上剤を塗り重ね、みがいた表面はまるでガラスのよ

0470
いろんな国の赤いろ朱いろ紅のいろ

部屋のインテリアとして
飾っておきたいいろとかたち
0472

0473
赤いキノコは
黒地がよく
似合います

童話のなかの魔つかいが手にしているような
赤いキノコが"わたしがつくったもの"の印
いまいる場所がちょっとすてきな場所に変わる
魔法をかけてくれそう → **p.165** 中根ミワさん

0478

0474 ペンケース。毎日つかいたい

キーホルダーです 0479

0475 白い花の刺繍もきれい

0480

0476 真鍮パーツのウサギをのせれば 
そのままキノコのストラップ 0477

0481
緑も
かわいい

まんまるコインケース 0482

0483

0484

さかなもボタンも海のいろ **0486**

0485
東欧の伝説の物語のさし絵のよう

🎱 ❶ くらしのなかで つかうもの

麻や綿の自然の布でつくったやわらかなかたちに
絵本のように刺繍の糸で絵を描いてくれたのは
→ **p.164 UZUMさん**

0487

0488
シンプルだけど
とてもていねいにつくった
手さげバッグ

0489 ポーチに咲いた野のスミレ

0490

くらしのなかで つかうもの

0491
ブルーと白の波間にスワンがあそぶ

0492

ストライプのリネンに刺繍して
すてきな雑貨をつくったくれたのは
→ p.164 UZUMさん

0493
ちょうちょのデザインが
きれいなポーチ

刺繍の糸ですてきなことばと
かわいい絵を描いて赤ちゃん靴を
つくってくれたのは
→ p.174 PETIT2さん

0494
とってもちっちゃい♪

0495

0496 いろんないろと質感の
ガラスをつかい分けています

お家のかたちは時計です **0497**

0499 うさぎのかたちも時計です

0502 空とぶ天使の
オーナメント
かな？

0501

0498 窓辺の光にかざして
かざってみたい

0503

雨がさのミラー **0500**

0504 うしろを向いた
ネコも時計です

窓辺や部屋をかざるステンドグラスの
インテリアをつくったくれたのは
→ **p.169** BLUE d'artさん
　p.45 にはアクセサリーの作品もあります

キャンドルを灯す赤リンゴ **0505**

8 4 くらしのなかで つかうもの

もうつかうことのできない木の家具の枠から
アクセサリーをかけるインテリアを
つくりました
0506

0507
かたちの金具をリネンでかざって

もうつかわない
つかわないかもしれないものに
手づくりという名の魔法をかけて
いつまでも毎日のくらしのなかで
つかっていきたい
そんな雑貨をつくってくれたのは
→p.171 marma*madeさん

0508
ビンのなかに
切手を貼るだけで

0509
木の額に取っ手の金具や
メジャーの目盛りをつけて
底に切手をコラージュ
すてきな収納のインテリア

8 6
くらしのなかで
つかうもの

光がすけるリネンに
ボタンをつけて
刺繍をして
0510

針金でつくりたいシェードの
かたちを編んで
灯の光が透ける布を探して
飾りをつけたり刺繍をしたり
→「くりくり」編集室のスタッフの
　手づくりです

0511
フランスのスーパーで買ってきた
ヨーグルトの容器にちいさな電灯の灯りをいれて

布に絵を描いてみたり
0512

0513
すける布を
2枚重ねてみると

「くりくり」のページのために
イラストレーターのすげさわかよさんが
つくってくれたもの

0514
ボタンを
いっぱいつけてみたり

#3 しあわせな
むかしのかたち

あなたのお母さんがまだ少女だったころ
それまで見たこともない手づくりのかたちが
次々とうまれた、しあわせな時代へ

1950年代、ヨーロッパやアメリカのものがまだ遠い
あこがれだったころ。日本の、そして世界の子どもたちに
読まれる人形絵本をつくろうとしてうまれた作品たち
人形作家の熊谷達子さんが、手芸店のない時代に
芯は工場から針金をもらい、布に模様を縫って染めて
仲間たちと背景をつくってページをつくりました
★「くりくり」no.1のページよりアレンジしました

多くの国のことばで海外の子どもたちにも
愛されました

0515
「マッチ売りの少女」のページから。ツリーのろうそくも手術用の
電球から手づくり

Without stopping to think how angry her father would be when he found the matches burned and no pennies in her pocket, the child struck another. Instantly there appeared the most beautiful Christmas tree in the world, decked with sparkling balls and tinsel and glowing with a thousand white candles. Quickly she drew near to warm herself by their light, but the match flame died. At once the tree was gone, and the candles rose to the sky to become frosty stars.

つくられた人形は一体だけ。でも場面によって表情まで違ってきます。不思議です

そのころ、お人形はたいせつなおともだちでした

0516
「へんぜると
ぐれーてる」の
絵本の
男の子人形

熊谷さんの大切な道具箱
一体一体ていねいに
手づくりしたあかし

0517
この子は女の子のぐれーてる
絵本は、ヨーロッパでも出版されました

0518
熊谷さんがまだ学生だったころ
おともだちのためにつくってあげた人形
やさしい表情。かわいらしい姿

手づくりのいろいろ

水野正夫

0519

0520 コールテンの残り布と
古い帽子のフェルトでつくったスリッパ

0521

0522 アップリケの
鍋つかみ

台所洋品もやりくり手づくり 0523

しあわせな むかしのかたち ❾ ❶

昭和20〜30年代の
少女のための雑誌
「それいゆ」で
雑貨の人形の手芸
手づくりの提案で
人気を集めた
水野正夫さんの
作品たち
★「くりくり」
　no.3のページより

0524
表紙の人形も
水野さんが
つくりました

「それいゆ
臨時増刊手芸特集」
1951年 ひまわり社発行

9 2 しあわせな むかしのかたち

0525 水野さんの「それいゆ」のページから
ひまわり、ガーベラ、スイートピー、スミレを模して、ウールで花束のアクセサリーを手づくり

ウールの裁屑でつくる花のアクセサリー
水野正夫

まだ、素材が手に入らなかった時代
穴のあいた靴下、残りの毛糸やはぎれで
やりくりとものづくりのアイデア
おしゃれへの思いとあこがれから
かわいい雑貨たち、たのしい小物たちを
次々とつくっていきました

0526
かべかけ人形
「鏡の横にかけておいて朝夕あなたのなかのよい
おともだちとしてお話をしたら
どんなにたのしいことでしょう」

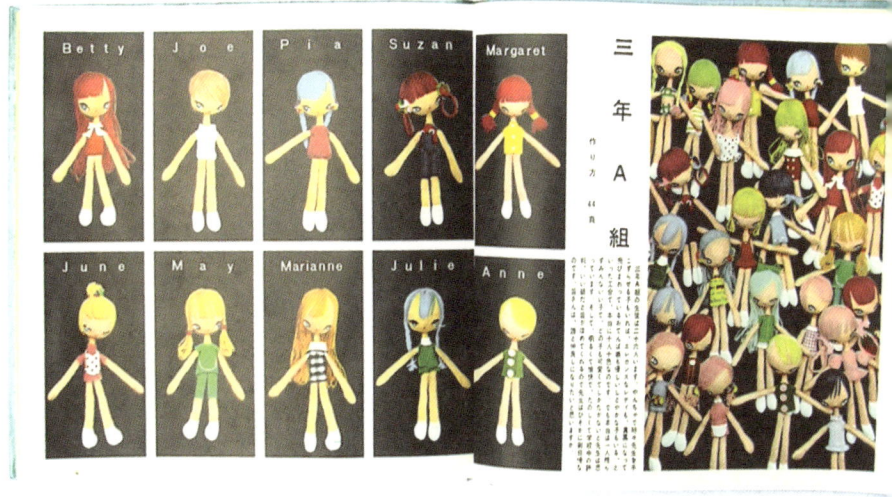

0527 ひとりひとり名前をつけて。わたしのたいせつなクラスメイト

少女たちのあこがれをのせた「それいゆ」は中原淳一さんの指導のもとの
数多くの手芸作家、手づくりの作家たちを
送りだしていきました
松島啓介さんもそのひとり

0528
とんがり帽子がおしゃれな
スキー人形

この子たちもひとりひとり名前があります 0529

0530

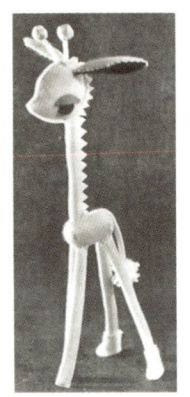

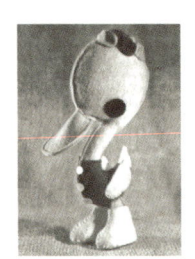

0531
帽子も服もくつも
キュートです

0532
レトロなフェルトの動物たち

0533

もしかしたら、あなたのおばあさんが
少女だったころ
とてもむかしむかしの人形と動物たち
でも、いまでもつくってみたい
すてきなかたちが見つかります

0534
紙や布を切ってつくるシルエット人形

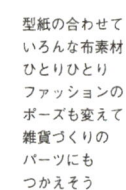

型紙の合わせて
いろんな布素材
ひとりひとり
ファッションの
ポーズも変えて
雑貨づくりの
パーツにも
つかえそう

Henry　　Frank　　Sophia

0535　　**0536**

9 5

しあわせな むかしのかたち

子どものころのすこしむかし
お母さんおばあちゃんが少女のころの
むかしむかし
大好きだった手芸の本のなかに
見たこともない手づくりのいろと
かたちをさがす冒険へとでかけよう

このページのむかしの手芸の本は
art-bookshop ＆cafe からお借りしました
tel.03-3230-1811 www.artbook.co.jp

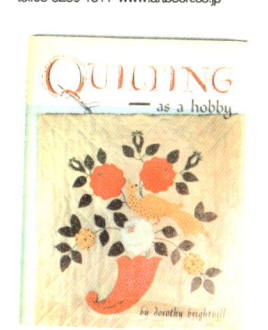

いまのかたちのなかには見つからない
ほんとうのつくってみたいものが、ページのなかに
　　　　　　　かくれているのかも

0537
キャンディーやお菓子の
つつみ紙
セロハンや包装紙を切って
つまんでひねって
ちょうちょかざりのできあがり

とってもかんたん。ちょっとおおざっぱ。でもそれが

0538
よく見ると
人形の頭はピンポン玉
帽子は容器のキャップ
からだは切った厚紙に布や切り絵を
貼っただけ
でも、顔や絵柄のかたちをつくるの
とってもセンスがいりそう

フランスの子どもたちのためにつくられた手づくりのための絵本
つくりかたやつかいかたもたのしく見て読めるたのしい本
そのなかのお気に入りのページを特別にごしょうかい
★comment fair des gadgets 1973年刊 フランス

下絵にあわせて毛糸を指先で
手芸用ボンドで貼りました
毛なみやフォルムにあわせて
どんな毛糸のラインするかが
仕上がりのポイント
子どもでも大人でも
たのしく手づくり

9 7

しあわせな
むかしのかたち

0539

胸の羽毛のもりあがりは
毛糸のライン変えて
水は細めの糸をつかって

0540

おしゃれにみえてくる　　フランスの子ども部屋に迷いこんだよう

0541

丸い尾羽根がかわいい目に一点の黒い毛糸で
表情がうまれます

0542

布を重ねてつくる風景画
ぺたぺた手芸用ボンドで貼ってつくるだけ
でも、とてもきれいな景色

0543
いらないパッケージに
絵を描いて
耳や口、ひげは切り絵で
カレンダーは本物です

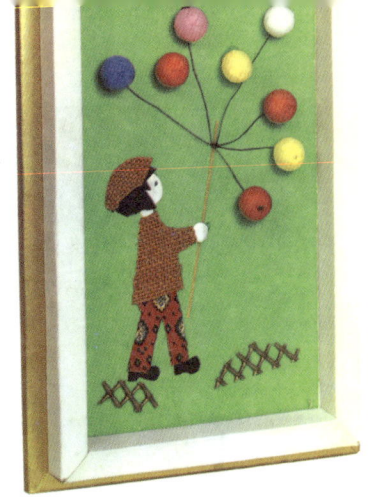

0544
麻布やプリント生地を
切りあわせ人物をつくります
黒糸に結んで浮かぶ風船は
紙をまるめていろづけしたもの
かわいい額絵のできあがり

フランスの子ども向けの
手づくりのための本
そこには
布や紙、自分で描いたイラストも
コラージュして
わたしだけの手づくりの絵本を
つくるアイデアがありました

0545

フラワーチルドレン とよばれた60年代の
しあわせな時代の赤ちゃんと家族のための
手づくり雑貨のつくりかたがいっぱい
★a treasury of NEEDLECRAFT GIFTS for the NEW BABY
1966年刊 アメリカ

0546 ミシンで縫ったり手刺繍でざくざく描く刺繍画
最初は下絵に合わせて、なれてきたらフリーハンドで縫っていくのもたのしい

0547
むかしの本のなかでは、子どもの部屋のためのもの
でも、いまのくらしのなかでは大人の部屋のなかですてきです

0548

9 9 しあわせな むかしのかたち

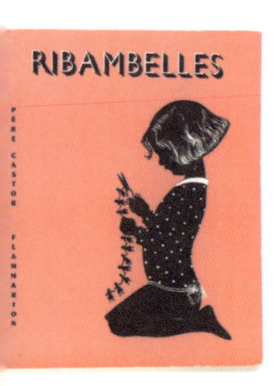

パリの住宅街の日曜古本市で見つけたむかしの絵本作家が
シルエットを描いた切り絵のパターン集
きっと、いろんな雑貨づくりの下絵にもつかえます
★RIBAMBELLES 1942年刊 フランス

もののかたちの輪郭と

0549
上の本のページのパターンを
消しゴムはんこのかたちに
それでつくったコースターたち

しあわせな
むかしのかたち

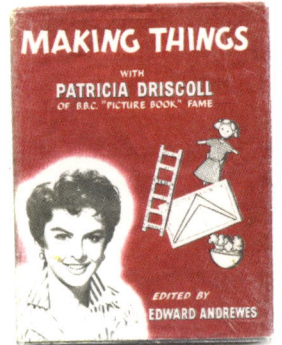

左のP.101 とP.102 の
切り紙でつくる
すてきなものたちは
この本から
見つけたもの
★MAKING THINGS
1958年刊 アメリカ

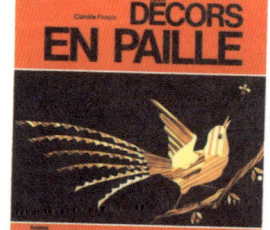

葦のわらを素材に
切り絵を描いたり
雑貨をつくる本
p.103 とp.104 に
作品があります
DECOS EN PAILLE
1981年刊フランス

0550
つりぼり
サカナはコルクに
浮かんでいます

0551 脚に注目

0552
脚と目はマッチ棒
足の数が
足りないかな？

シルエットをきちんとつかむことが手づくりの基本。むかしの本が教えてくれたこと

0553
からだは
コルク
針でさした
紙の手足は
ぶらぶら

0554
水浴中
ボウルのつかいかたもすてき

0555 飛ぶ鳥
絵とかたちがとてもすてき

0556 マッチ箱の
つくったタンス

ページの写真を見るだけで
つくりかたが分ってしまう
かんたんなアイデア
でも、とてもきれい
そして、身の回りのもの
もういらなくなったものを
上手につかっています
ものが少なかった
むかしだからよく見えた
いまでは忘れがちな
雑貨づくりのたのしさ

１０２ むかしの しあわせな かたち

0558
切り絵にも絵を描くと

0557
ハンプティ
ダンプティの
からだは
ほんとに
卵のから

葦のわらをひらいてつくったかざり

0559

0560
イエスの誕生を
3博士に教えた星のよう

0562

0561
フォークロアな
やさしいかたち

0563

0564
クリスマスのたのしいかたち

きれいなかたち
なんだか
とてもなつかしい

0565

0566

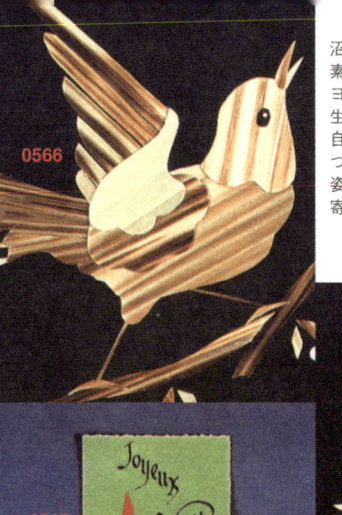

沼地や川辺の葦の茎をひらいて
素材にして絵や雑貨をつくる方法は
ヨーロッパのいなかのくらしから
生まれたもの
自然がつくったいろやかたちから
つくりたいものに合わせて柄を選び
姿や風景をつくる方法は日本の
寄木細工にも通じます

0572
花時計のよう

0567
紙に
貼って
カード
づくり

0570

0568

0569

0571
スカートのひろがり
からだの動きも表現しています

むかしから伝わる伝統の手づくりの方法も
自由にイメージをふくらませていけば

この本は手づくりの本ではなくて
ポーランドの劇場の舞台美術の写真や
スケッチをまとめたむかし本
でも、いまの雑貨づくり
これからの新しいものづくりの
ヒントになるアイデアいっぱいの本
★POLSKA PLASYKA TEATRALNA
1963年刊 ポーランド

0573
ポーランドでも葦や麦わら、植物を
つかったくらしのなかのものづくりは
むかしからとても盛ん
子どものための舞台の人形たちも
その発想から自由にものづくり
とても大きなかわいい雑貨のよう

1 0 5

むかしの しあわせなかたち

ヘルシンキの古書店で見つけた
50年もむかしの陶芸のつくりかたの本
自宅でもつくれるくらしのなかでつかうものを
教えてくれます
KERAMIIKKA harrasteena
1959年刊 フィンランド

子どもたちが思いのままにねんどをこねてつくる人形や動物たち。くらしのなかでつかうもののかたち
そのころの思いを忘れずに、大人への時間のなかで見てきたこと
好きになったいろとかたちをのせながら手づくりしたもの。例えば右のページの陶製人形たち

0574

106
しあわせな
　　むかしのかたち

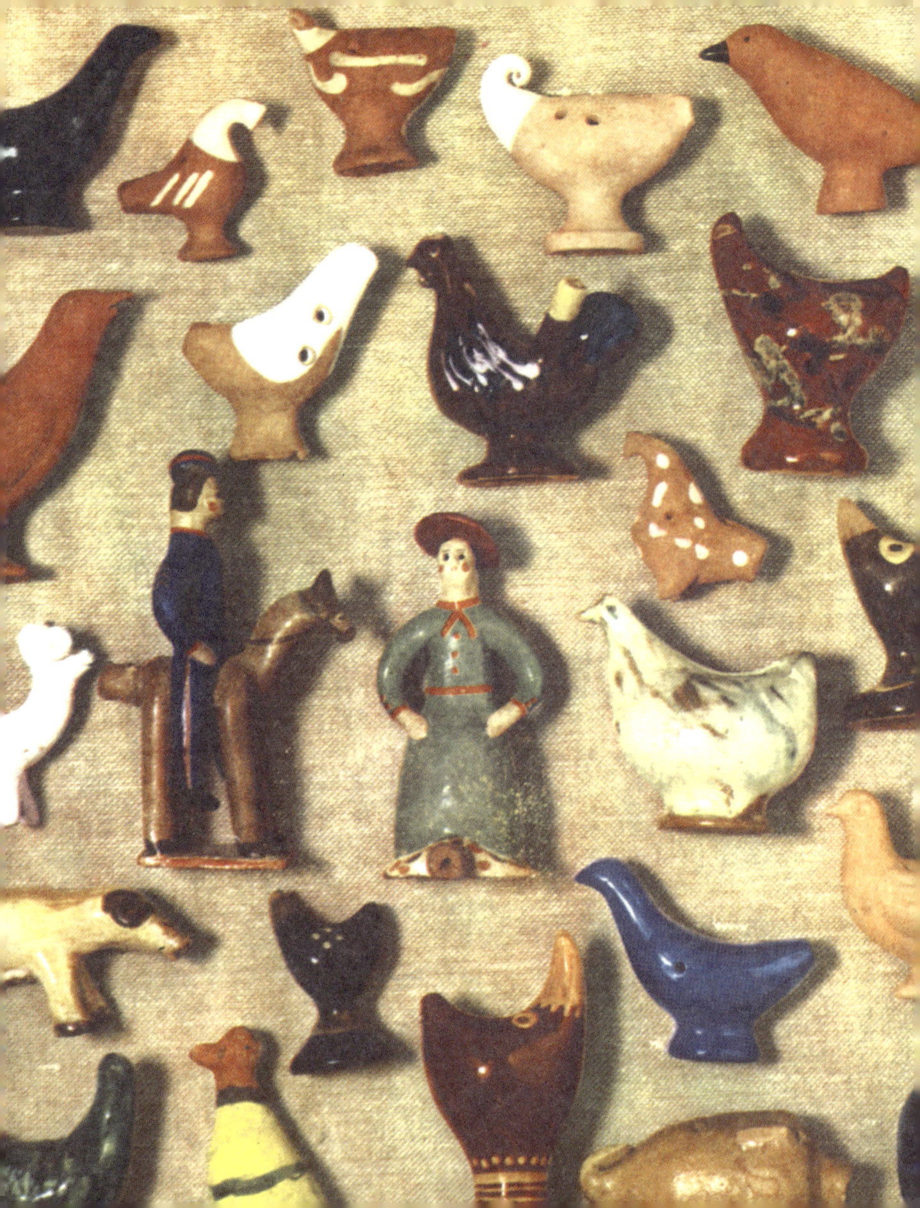

#4 人形と動物たち いつまでも いっしょにいたい ともだち

フェルトで描く
海のなかの
いろあい
0575

0095

0576
ニードルでフェルトを
しっかり刺してがっしり丈夫な
からだをつくりました

0580

0579

四季の自然のおくりもの
くらしのなかのものたちも
フェルトのかたちに

0578

0577 白玉のかわいい毛なみ。親じか子じか

はりねずみ。表情がほんとにかわいい
0583

0581 しぐさからいろんなイメージがふくらみます

1 0 9

ふわふわ毛なみの動物たち がっしり牧場の住人たち
くりくり瞳の森の仲間たち。まるで一冊の絵本の物語の
登場人物のようにフェルトでかわいい姿をつくってくれたのは
→ **p.162 Sleepy Sheep ; Soapさん**

0094

0582
動物ごとの毛なみもみごとに表わしています

まるで3びきでこちらを見つめているよう
0585

0586
手にした
木の実
大切そう

0584

1 1 0 人形と動物たち

黒猫のマリオネット
ねずみくんとなかよし
0588

0587
ぼうしも
きちんと編んでいます

0590
指さきにちょこんとのるようなちいさな姿とかたち
でも、見つめれば見つめるほど一匹一匹ちがう
表情としぐさにひきこまれてしまう動物たちを
つくってくれたのは
→ p.167 こむらたのりこ / ko*muさん

0589

0591 頭のちいさなかざりも見えますか？

0592 きれいな
いろの青い鳥

0593

10センチでも大空をめざす はりねずみくん
0597

0594 背中の
はりやま

0595

赤い鐘のうさぎさんたち 0596

0598 よいしょ
よいしょ

0599

あこがれの視線

0600

0601 お家の住人もいます

0602

0603 ライオンさん
ふんわりたてがみ

0604
ブランコひつじ
お部屋の壁にかかります

① ① ② 人形と動物たち

ほっそり脚は
紐につけたチャームの
人形たち

おおきな耳が自慢です
0605

0608

お手玉も得意
サーカスの人気者
0606

0607 服も一匹一匹個性的

0609 やさしい瞳 ほっぺも紅いろ

0611 テーブルのうえで たのしいサーカス

0610

ヨーロッパのむかしのアニメーションの
スクリーンから飛び出してきたような
すてきでおしゃれな人形たち
→ **p.167 Mamaruさん**

0612

みんなでどこかを見つめているよう

0614

0615

0613 遠い王国の住人たちのよう

0616

0617 クルミのベットですやすや眠る

1 1 4 人形と動物たち

0618

0621 ガラスのびんのなかには…

ベットの脚はこしょうの実 0619

0620

0622 ちいさなテディベア

0623 ちいさな車にのってるみたい

0624

0625

0631

0632

0626 実はマグネット
コンタクトレンズくらいのおおきさです

0627

0628

0629

0630

少女のころから好きだったちいさくてかわいいものづくり
いまでもそのころの気持のままに人形と動物たちをつくってくれたのは
→ **p.164** mocoさん

0635

0634

0633 マッチに住んでるカエルくん

ちいさなちいさな着せかえ人形 0636

0637

0639

0641

0638 サンタの靴から Merry X'mas ♪

こちらは煙突から
Merry X'mas ♪♪ 0644

0640

0642

0643

0645

0646 ビンのなかには……

0647

0648

0649

0650

かぼちゃのなかにもいろんなものが
0651

かわいいベアと動物たちが主人公の四季それぞれの
"ちいさな風景"をひとつひとつ手づくりしてくれたのは
→ p.162 Little Sceneさん

アンティークのマッチ箱
表の文字や写真から浮かんだ
イメージからひとつひとつ布で
かたちを決めて顔とからだを描いて

0653

0655

0652
2人がいっしょの
マッチの部屋

0654

0656

0659

0657

0658

こんにちは。キノコの女の子 0662

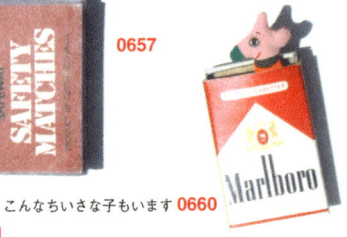

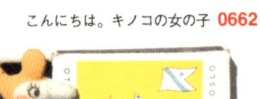

こんなちいさな子もいます 0660

0661

0663
船の絵を見つめているよう

0664

0665

あお家はロンドン製。でも日本うまれ 0666

人形と動物たち **1 1 7**

指先からささやく声、笑い声が聞こえてきそう 0668

0669

0670

0667

0671

人形と造形の作家
イシイリョウコさんが
「くりくり」の表紙のために
つくってくれた指人形
左ページはむかしのマッチ箱の
ふしぎな住人たち
→ **p.165** イシイリョウコさん

0672

1 1 8 人形と動物たち

かわいい羊
フェルトで描いた物語の
あちこちに登場します
0674

人形と動物たちがいる場所。絵本のなかのような夢の国。
そんなたのしい世界を旅してスケッチするようにフェルトで
つくり、描いた作品たち　→ **p.162** BrownBettyさん

0678

0673 マザーグースの物語へ。さあ出発

0677

0675

0676 おなじみハンプティ・ダンプティ

物語の世界のかわいい住人たち **0679**

指人形。物語や童話の登場人物たちもいます

0680
0681
0682
0683
0684
0685
0686

0687 何の物語か分かるかな？

人形も背景も地面もフェルトでできています 0688

0689

0690
0691
0692
0693

たまごやボールのかたち。フェルトで描いたチャーム。

0694

0695 花たちのおしゃべりが聞こえてくるよう

前のページと同じBrownBettyさんがつくった羊のフェルトの作品たち。
→ p.162 BrownBettyさん

0697

0696

0698 羊があそぶ野原のかたち

0699

1 2 0 人形と動物たち

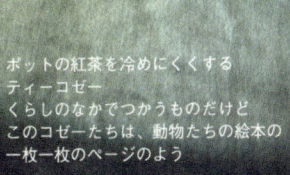

0700
0701 
0702 
0703 
0705 
上下は同じコゼーの2つの景色 0706 
0704  

ポットの紅茶を冷めにくくする
ティーコゼー
くらしのなかでつかうものだけど
このコゼーたちは、動物たちの絵本の
一枚一枚のページのよう

0707
0708 
0709

0710

0711

0712

むかしの日本のこけしのようなすがたとかたち
ちょっとむかしの西洋人形のようなかわいらしさといろづかい
ちいさいけれどひとりひとりちがう
ひとつひとつ大切につくられたお人形　作/ひろせべにさん

ひとりひとり髪も服の柄がちがいます

0714　0715　　　　　0717　0718

0716

0713　　　　　　　　　　　　　　　　　　　　　　　　0719

エプロンすがたの今風こけしと思ったら
からだのなかにはお手紙がかけるアイデアのお人形
→ p.174 koimoさん

0720

0725

0721

マトリョーシカの型に絵を描いて → p.166 鈴木珠基さん

0724

指人形たちも
Jaaja a Pokozka さんの
作品です

北欧のおしゃれ
雑貨のような
バイキングと
おまわりさん
→ p.168 Jaaja a Pokozka さん

0722　0723

0728

0726　　　　　　　レトロでモダンなかわいいこけしのようなお人形
　　　　　　　　黒猫もつくりました → p.172 FEVESさん

0729

0727

人形と動物たち

1 2 4 人形と動物たち

0730 むかしみたいな木のバッジ
0731
0732
0733 クルミのなかのふたり
0734 どこかであったことがあるような
0735 ボタンをのせてかざります
0736
0737
0738
0739 遠い国のお姫さまのよう

ボタンをのせてかざりマトリョーシカ風にねんどでかたちをつくりました

0740
0741

少女のころのあこがれ。いつまでも心に灯る乙女のロマンを
そのままかたちにしたようなかわいいものたち
→ p.166 cotoriさん

むかしのグリコのおまけのよう
0742
0738
0743 人気者のどんぐりす
0744
0745
0746
0747
0748

アイスクリームのスプーンに女の子の絵を描いて

0749 マッチ箱はお家

0750 手はモールでできています

0751

0752

0754

0755 おまめの人形たちはプラスチックねんどで powa*powa* さんがつくったもの

0756

0753

毛糸の髪。モールのからだ
少女のころのひきだしから
時間をこえてやってきた
ような人形たち
→ p.163 おざきえみさん

0757

0760 人魚がいます

"カフェまめ" くん 0761

0758 フェルトの
ちいさなお家と
女の子人形

0762

0759

0755

"カフェまめ" くんと
ちいさなお家と女の子
おまめの人形をつくってくれたのは
→ p.166 powa*powa* さん

0763
かえるがたくさんオーナメント

0766

0764

0765
ビーズでかわいく顔を描いて

0767

おだんごが
ちょっとむかしの女の子？
0768

0769
一匹一匹
性格もちがうような？？

ジョーゼットでつくった光沢のあるいろ
サラサラさわり心地のよいお人形
まんまる動物ゆかいな虫たち
→ **p.162** かないじゅんさん

0770
てんとう虫の女の子

いつまでも
夢見る女の子
0774

0772

0773

0771 ハワイのかえる？？

1 2 7 人形と動物たち

0775
にぎるとかわいい音がする、赤ちゃん用のおもちゃです

0776

0777

0778

0779
キノコも
やさしい音がします

0780

0781

0782
キノコの指人形たち。ちいさなバックにはイニシャルが

0783

やさしいいろとかたちの人形たちを
つくってくれたのは → p.166 itaさん

0784

0785

0786

ストラップの
"まいどくん"たち
0787

0788

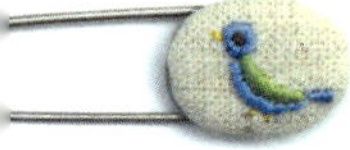

0789 ショールピンも刺繍入り

0790

0791 背中には青いリボンの指人形

0792

エプロンに子どもがいます **0793**

0794 タコのコサージュ。はじめて見たかわいいもの

0795

0796 ブローチになっています

かわいいはりねずみくん **0797**

0798 ピアスにもちいさなはりねずみ

そばにいるとちょっとしあわせな気分になれる動物たちの小物たち
→ **p.174 荒木伸子さん**

0799

0800

0802

ロビンくん **0801**

0803 青い鳥も指人形

1 2 9 人形と動物たち

0804
お部屋の赤い電線でくらすつばめたち
紙のキットから自分で手づくりできる
オーナメント

→ **p.166** 鈴木珠基さん

クルミのなかから見つめるオウム
まるで住みかを守っているような表情
0805

0806 絵本の世界から遊びにきたよう
青い目のベア

見つめる青い瞳 **0812**

まるで心を宿しているようないきいきとしたすがた
次の瞬間、見るものに語りかけてくるような表情
そんな人形と動物たちをつくってくれたのは
→ **p.167** mannenRouさん
mannenRouさんが動物の姿をブローチにした作品も
p.35にもありますよ

0807

1 3 1 人形と動物たち

0809
mannenRouさんの作品のクルミのなかには
いろんな動物が住んでいるよう

0810

遠くを見つめるちいさな瞳

0808
ロバくん
よっこらしょとたちあがります

0811
ロバくんと同じように
ボタンでできた関節だから
いろんなすがたのポーズができます

0813

テディベアづくりの確立された
技法と素材選びを守りながら
ふっくらかわいい見たこともない
ぶらさげベアたちを
つくってくれたのは
→ p.172 津田 秀さん

0814

0815

0815
毛なみのふんいきもいろあいも
後ろすがたも一匹一匹ちがいます

見あげるちいさなリスくん
左ページにはちょっとおおきな
リスくんが世界を旅する
作品もありますよ
→ p.162 "little shop" 福士悦子さん

0816

人形と動物たち

0817 世界の旅へ出発

0818

0819

0820 パリでにっこり

まるで童話のなかの
住人たちのよう
ねんどでしあわせな世界を手づくり
→ p.172 Shocone さん

0821

0822 赤ずきんちゃん気をつけて

人形と動物たち

0823 おなかいっぱい

モデルはいっしょにくらしてるうさぎのちびちゃん
毎日という名の時間のなかで
心にのこったしぐさあいらしさ
四季の風景のなかでのできごとを
スケッチしてフェルトに今日も
写しているかもしれません
→ **p.164** 藤田育代さん

0824
ちいさなオーナメントの
作品もつくりました

0825

スケッチしたすがたに
花園のイメージをくわえて
0826

こちらはねこさん
0827

いつもそばにいてくれる
大好きなともだち。そのすがたを手づくり

0828

0829 おこるとプイと背をむけます

0830

0831

0832
きっとまた
この子に
あえますよ

0833

0835

0834

0836

0837

なんともかわいい表情。ゆかいなしぐさ。
写真の向こうのしあわせな風景のなかから
こちらの見つめる動物たちをつくってくれたのは
→ **p.173 すふれ工房さん**

0838

0840

0839

0841

人形と動物たち

0842
0843
0844
0845
0846
0847
0848
0849
0850
0851
0852
0853

138 人形と動物たち

ほら。またあえた♪ **0832**

0854 むかし子どものころ、夢のなかで出合ったような

テディベアづくりや素材選びの方法を
森や野原のちいさな動物たちのすがたづくりにいかして
見るものの心をつかむ作品をつくったくれたのは
→ **p.165 kunaさん**

0855
ささやく声がきこえて
くるよう。その話が
心に浮かぶよう

0856

0857

0858

0859
絵本の国の
王女さま？

0860

0861

0862

0863

0864 羽毛をさわってごらん
とても心地よい

0865

0866

0867

0868

0869

人形と動物たち 1 4 1

kunaさんの手からうまれた文鳥たち
目にするもの、ふれるものを
しあわせにしてくれる
人形という名の贈りもの

眠っているような、笑っているような **0870**

0871
雪の結晶つきの
ざぶとんが
お気に入り

0872
遠い空を見つめているような

0873
なんだか
こっちを見つめているような

いつか空へと旅立つことを夢みているような **0874**

#5 絵のある雑貨 紙もの 布もの 文房具 描くことから生まれたもの

0875

0876

0877 右下のカードとくらべてごらん

ピンクのバラのつぼみが現れた
お誕生日のお祝いのことばをそえて
心のなかに咲かせよう

0878 黒いスワンをブローチに描きました

1 4 3

0882
尻尾は毛糸でふちどり描いています

0879
これは左下の
カードと
くらべてみると

しかけのカードは一枚一枚手づくり
もちろん絵も一枚一枚描いたもの
おじさんの表情もひとりひとり違います
→ **p.166** 鈴木珠基さん

0880
ミシンをがたがた縫っていくと

0881 海からのメッセージ

バケットを取りはずして
裏返すとメッセージが現れた

0883
チャシャ猫かな？これもブローチ

0884

0885 どうやれば目が開くか分かるかな？

0887 チョコといっしょに
ことばもそえて

たのしく動いてメッセージが現れる鈴木珠基さんの手描きのカード
クリスマスやバレンタインのメッセージポップアップもありますよ
→ **p.166** 鈴木珠基さん

0886

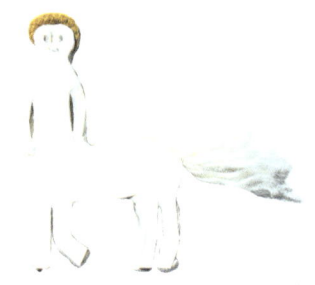

0888 ケンタウロスも手描きのブローチ。一点もの

0894
尻尾は毛糸でふちどり描いています

1
4 絵のある雑貨
5

0891 小鳥はどこに消えたのかな？

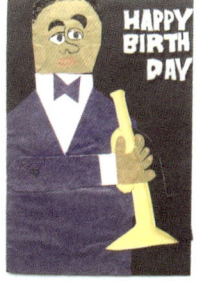

0889
メッセージの音色が
きこえてくるよう

トランペットを口にあてると **0890**

0892
みみずくのブローチ

0893

0895
大中小のマトリョーシュカのように
ひとつにしまえる3つの箱に
写生のように正確に描かれた
秋の情景

0896 夏の海からの贈り物

森の動物たち。野の四季の花、草木の姿
手のひらにいくつものるほどの箱たちに
描かれたちいさな、でも、すいこまれるような
自然という名の世界　→ p.163 noonさん

0897
大切なものをしまっておきたい

0898
絵本のなかから
やってきたような
白うさぎ

白うさぎがそっと
しまっていった
青い石のよう

0899

絵のある雑貨 **1 4 7**

0900
窓辺のテーブル
箱のなかの青空で歌う鳥

大切なもの草下から見あげる夏の空のいろ **0901**

0902
下地の箱も紙を重ねて糊で固めてひとつひとつ手づくり

0904
お米のつぶくらいの
スズメの顔や羽も
ていねいに描かれています

0903
すくりと立つ
りすのすがた
かわいらしい

1 4 8 絵のある雑貨

0905

0906 布に絵を描いたバッチです

裏地選びもとてもきれい

0909

0910 指人形たち
p117 にもかわいい
作品があります

0911

0908

0907 胸のちょうちょもすてきです

0912

人形や造形の作家
イシイリョウコさんが
つくった絵のある雑貨たち
ちいさいけれど
ひとりひとり
一匹一匹表情がちがう
作品たちです
→ **p.165**
イシイリョウコさん

0913

バッチの裏側も
ちゃんと絵が描いて
あります

0914 キノコのような女の子

0915

チャームをカーテンのすきな場所に安全ピンで止めるだけ。すてきな窓辺の風景ができあがり

0916

0917

裏地には固い芯地や
厚紙をつかって
まるまらないようにつくります

0918

むかしのヨーロッパの切り絵の本で見つけた女の子のシルエットをつかって

切り絵やすきなかたちを描いたシルエットの合わせて
固めの裏地のボンドでつけたプリント生地を切り抜いて
つくったチャームたち　→「くりくり」編集室のスタッフの手づくりです

すきな柄のプリント生地をつかって

0919

0920

0921

0922

手づくりボタンでつくった
かわいい絵。スパンコールや紙やリネンを重ねて縫って
すてきなコラージュ
ボタンのお家でくらしてみたい

0923

1
5
1

絵のある雑貨

0924 20年以上も前、趣味で手づくりしていた頃のボタンたち。自由な発想で生まれたちいさないろとかたち

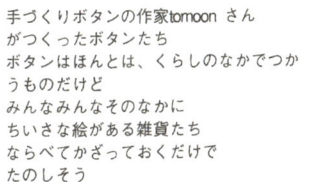

手づくりボタンの作家tomoon さんがつくったボタンたち
ボタンはほんとは、くらしのなかでつかうものだけど
みんなみんなそのなかに
ちいさな絵がある雑貨たち
ならべてかざっておくだけで
たのしそう
　→ p.169 tomoonさん

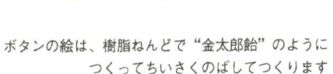

ボタンの絵は、樹脂ねんどで"金太郎飴"のようにつくってちいさくのばしてつくります

0925 くるみボタンもいろいろ毛糸でくるんでみたり

0926 tomoon さんの自分のお店でいまつくっているボタンたち

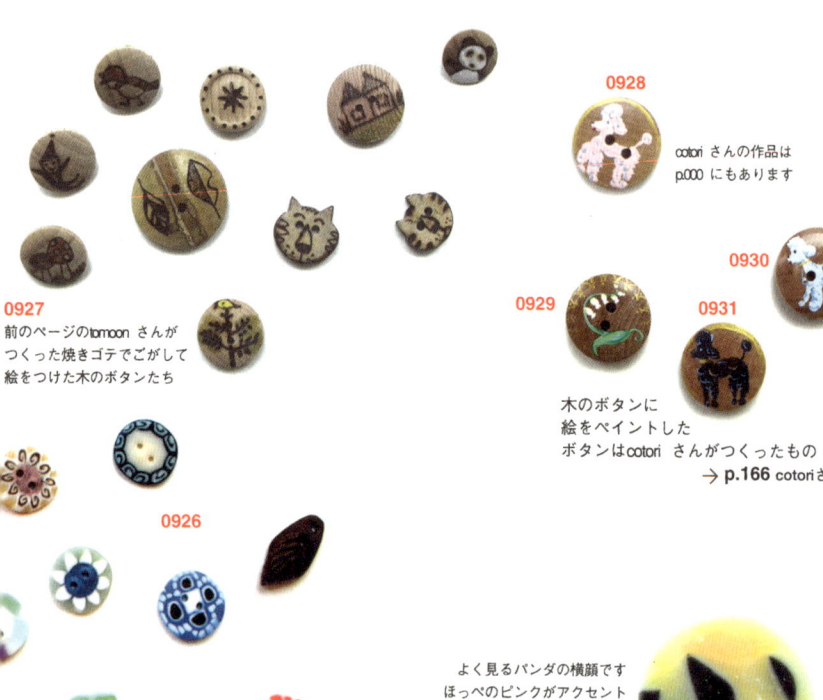

0928

cotori さんの作品は
p.000 にもあります

0930

0929

0931

0927

前のページのtomoon さんが
つくった焼きゴテでこがして
絵をつけた木のボタンたち

木のボタンに
絵をペイントした
ボタンはcotori さんがつくったもの
→ **p.166** cotori さん

0926

よく見るパンダの横顔です
ほっぺのピンクがアクセント

0932

① ⑤ ②

絵のある雑貨

0933 これは型をつかってつくったうさぎのせっけん

0934 おいしそう♪

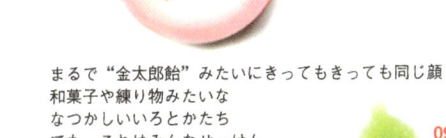

まるで"金太郎飴"みたいにきってもきっても同じ顔
和菓子や練り物みたいな
なつかしいいろとかたち
でも、これはみんなせっけん
とてもいいにおいがする
絵のある雑貨たち
→ **p.171**
手づくり石鹸bonbon savon de…さん

0938

0935 すあまのような米粉のお菓子に見えてきます

0939

0936 ニコニコ笑っていたり。少々不機嫌だったり
よく見るとひとつひとつ表情もかたちも違います

0941

0940

せっけんだからやわらか
かたちが少々変わったり
0937

まるで老舗のお店の和菓子のように糸で結んでラッピング

0942

0943

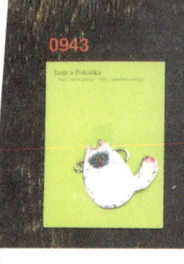

0944

0945

0946

0948 おしゃれなデザイン

0949

おうちのブローチもJaajaさんの作品 0947

0950

0951
ほかにはないモチーフ
ひとつひとつ手塗りで
いろや表情もちがいます

0954 この4つとページの一番左下の人物とおうちの
ブローチはJaajaさんがひとりでつくった作品です

0952

0953

155 絵のある雑貨

0957

板を切ってひとつひとり絵を描いた
たのしいブローチをつくってくれたのは
→ p.172 はたのりこさん

0958

台紙もいろいろ 0959

東欧のちょっとむかしの絵本作家が
描いたような絵
北欧雑貨のようなかたち
Jaajaさんと Pokozkaさんの2人の
ユニットがつくった不思議な
でも、すてきなブローチです
→ p.168 Jaaja a Pokozkaさん

0960
絵本から飛び出したよう

0961
ブローチのうえ、とりは歌う♪

0962

0955

0964
とりかごは
台紙です

0963

0965

0956

0966

レースや糸も絵にのせて 0967

0970

うさぎたち、子どもたちの絵をモチーフに
カードや紙もの、かわいい雑貨たちを
つくってくれたのは →**p.163** chiyoさん

0969

0971

0968
うさぎのクッション。ほかにも子ども、動物たちのものもあります

じゃばらの豆本。かわいい子どもたちの絵本 0972

0976

0973 ポップアップのカード

0975 右ページのmenkoさんの消しゴムハンコ
いろんな絵がらがあります
きれいな箱入り
プレゼントにもおすすめ

0974

絵のある雑貨 1 5 7

不思議な世界の案内してくれる絵と物語の豆本を
つくってくれたのは → p.168 一ッ木香織さん

手製本版もあります **0977**

0978
一冊一冊じゃばらで手づくり

かわいい絵をあるmenkoさんのオーナメント **0980**

0979
ポップアップカードは
自分でつくれるキットです

0981
マッチ箱のなかには
かわいいシールたち

絵を描いて消しゴムハンコをつくって
つくったいろんな紙もの。雑貨たち
→ **p.164** menkoさん

1 5 8 絵のある雑貨

古書に影絵や
モチーフを
コラージュして
男の子と
女の子の本の2冊の
本をつくりました

0982 女の子の本を開くと

0983

0984 卵のかたちのカードを開くと

0985

0986 お部屋の
メリーゴーランド

窓辺のオーナメントたち **0987**

0988 ちょうちょの
印を押して

0989

0990

シルエットの男の子の女の子が
旅する不思議の国
紙のうえから部屋のあちこちに
コラージュの自由な発想のまま
つくられた絵のある雑貨たち
→ **p.174** mica TAKEOさん

0991　　　　　　　　　　**0992**
マッチ箱を開けると

0993
床を見下ろすと、ほら♪
ステキなアイデア

0995

0994

0997

0998

0996 開くとちょうがはばたくカード

0999
ガラスをはさんで
立体的な不思議な
コラージュ

こちらは女の子の本の表紙

1000

この本に登場した

1000個目の手づくりの雑貨は、ちょっとへんてこ、でもなんだかなつかしい
昼でも明るい電灯まわりにうかんだ不思議の世界をつくってくれたのは
p.157 のじゃばらの絵本と同じ作者です。その面影はどこかこの人形と似ています
→ **p.168** 一ッ木香織さん

#6
手づくり雑貨の作家さんのプロフィール

Sleepy Sheep ; Soap

雑貨ショップのスタッフを経て、2004年より動物を中心としたフェルト小物制作をスタートする。HP「Sleepy Sheep ; Soap」はほぼ毎週日曜更新。羊が好き
http://www.geocities.jp/s_sheep_s/
取扱店
ninni （東京 高円寺）
http://www.too-ticki.com/ninni/
AMULET （p.7 参照）

"little shop"　福士悦子

2003年より、「小さなシマリスの雑貨屋さん」をイメージした"little shop"をはじめる。リスなどの手づくりのぬいぐるみや、懐かしい雰囲気の雑貨をつくる。毎年個展で発表しています
http://little-shop.net/
取扱店
AMULET （p.7 参照）
その他、雑貨店やギャラリーで
開催の個展やイベント（不定期）にて販売

Little Scene / リトル・シーン

「心に残るシーン・大好きなあの風景」
そんなワン・シーンの中から、まめぐるみたち(3cm程の羊毛ベアやワンコ)が顔を覗かせます。「思わず微笑んでしまう」！いつも側に置いておきたい」と思う作品をつくっていきたい
http://www.k4.dion.ne.jp/~mame8/
取扱店
AMULET （p.7 参照）
TreMaga （東京 千駄木）
http://tremaga.com/

かないじゅん

東京藝術大学デザイン科卒。（株）サンエックス　デザイナーを経てキャラクターデザイナーとして活動。現在布雑貨などを制作しHP「ミラクルポケット」で紹介したり大好きな雑貨屋さんで販売させて頂いております
http://miraclepocket100.lolipop.jp/
取扱店
AMULET （p.7 参照）
toutou（東京 自由ヶ丘）
Too-ticki（東京 高円寺）

Brown Betty

服飾を学んだ後、生活雑貨メーカーでの企画を経てフリーに。主にハンドメイドフェルト素材を使用し、手づくりならではの温かみのある作品を心掛け制作しています。アートイベントや、ギャラリーでの展示を中心に活動中
http://home.catvyokohama.ne.jp/kk/baasheep/
取扱店
AMULET （p.7 参照）
JAM COVER（東京 下北沢）
Gallery ａｍａ(大阪 堺市)　他

natsuko

服装学を学び、アクセサリーの企画を経て、布をもちいたアクセサリーを制作している。現在はつまみ細工の手法を使ったアクセサリー"Tsumami"を展開
取扱店
AMULET （p.7 参照）
cocca （東京 恵比寿）
occaオリジナルテキスタイルで
tsumamiを展開中

この本に登場した手づくり作家さんのプロフィール

Ma jolie

幼い頃から書くことつくることが大好きで今は物をつくる仕事をしています。一番好きなことに出あえた訳だから、感謝して精一杯、ひとつでも多くの物をつくっていきたいと思っています
wakuwakujpemi.web.infoseek.co.jp
取扱店
AMULET (p.7 参照)

chiyo

イラストレーター。セツモードセミナー卒業。東京都在住。切なさや寂しさも全部ひっくるめて、気持ちのいい、物語を感じるような作品でありたいと思っています
http://www.in-the-trunk.com
取扱店
AMULET (p.7 参照)

小泉 牧 (こいずみ まき)

"甘すぎない大人のかわいさ" が作品のコンセプト。レースやイニシャルテープ、ボタン等をコラージュした、リネンのバッグやポーチ等の布小物を中心に、制作活動中。Le Sourire M として、手創り市やイベントにも出展
取扱店
AMULET (p.7 参照)
Too-ticki（東京 高円寺）
ninni（東京 高円寺）

noon

本名、長谷川伸子。印刷会社勤務を経て、自作の紙小箱やアクセサリーに、細密な絵を描いた作品を制作しています。モチーフは動植物や日々の生活。ほかに編みビーズのアクセサリーも手がけています
取扱店
AMULET (p.7 参照)
青い鳥
http://www.rakuten.co.jp/aoitorishop/
三栗屋（広島 廿日市市宮島町）

おざきえみ

イラストレーター、絵本作家。絵本に「おうちをつくろう」(作.角野 栄子)「チロルちゃんとプクプク」(共に学研)「ほいなおばさんのようふくやさん」(作.高木あきこ ベネッセコーポレーション) 等がある
http://www.ceres.dti.ne.jp/^nazuna/
取扱店
ピニオン（東京 西荻窪）

藤田育代
ふじた いくよ

私といっしょに暮らしているウサギのちびちゃんをモデルにした作品を中心に、動物のいる風景を原毛・毛糸・ビーズ等を使用して、布に絵を描いています。『くりくり No3』、『手づくりのきほん』に掲載あり
取扱店
AMULET （p.7参照）

瀬尾やすこ
せお

武蔵野美術大学卒業。銀粘土でボタンやアクセサリーなどを制作。主にギャラリーやカフェでの展示を中心に販売・発表しています。銀粘土の他に、きり絵イラストや布小物を制作しています
取扱店
AMULET （p.7参照）
オンラインショップ ハンドワークス
hand-works.jp

menko

雑貨的消しゴムはんこをつくっています 手にとった人の心がほっこりするような、そんなモノづくりを目指しています。ひとつの作品から、絵本の1ページを開いたように、いろいろなストーリーの生まれる作品をつくっています
http://menmen2000x.blog5.fc2.com/
取扱店
AMULET （p.7参照）
都内を中心に、『手創り市』やアートフリマ・モノづくりイベントに参加しています

ＵＺＵＭ

2年ほど前から、ＵＺＵＭとして布小物をつくっています。ＵＺＵＭ（ウズム）とはトルコ語で葡萄のこと。実りある作品を沢山つくりたいという願いを込めました。大好きな刺繍を施した作品をコツコツつくっています
取扱店
AMULET （p.7参照）
Too-ticki（東京　高円寺）

Hand Made Felt NICO

ハンドメイドフェルト作品のデザイン、制作を主に活動中。
"毎日のくらしのなかで活躍し、使うたびに思わずにっこりしてしまうデザイン"をコンセプトに日々制作中です
http://nico-felt.com
取扱店
AMULET （p.7参照）
S.c.o.t.t 　（東京 銀座）

moco

ちいさい物をつくるのが好き。布やフェルト、スウェード、などを使ってスローペースですが、ちくちくと一針に心をこめて縫っています。これからも素材やレパートリーを広げていきかわいいものをたくさんつくっていきます
http://moco-channel.cocolog-nifty.com/blog/
取扱店
AMULET （p.7参照）

中根ミワ
なかね

甘すぎない素朴なかわいさの布小物・革小物やイラストを、雑貨店・イベントなどで発表しています。思わずほほえみが浮かぶような温かみのある雑貨をひとつひとつ大切に制作しています。イラストレーターとしても活動中
http://www.nakanemiwa.com
取扱店
AMULET（p. 7 参照）
zakka mitten（広島）Bijoux Dust（京都）
ninni（東京 高円寺）

イシイリョウコ

2001年女子美術大学・洋画専攻卒。同年より、手縫いによるすべて一点物の人形制作を開始。現在、人形作家・イラストレーターとして、本や雑誌、また各地での個展を中心に活動中
http://homepage3.nifty.com/nagahana/
取扱店
tote（東京 池尻）
ninni（東京 高円寺）
にじ画廊（東京 吉祥寺）

tamao

刺繍作家、雑貨デザイナー。多摩美術学校デザイン学科卒業後、刺繍や革、シルクスクリーンなどの技法を使い、アクセサリー、布小物雑貨を製作するブランドtamaoを立ち上げる。年に数回の展示会を開催する他、ワークショップの講師なども務める
http://www.tamao-world.com
取扱店
にじ画廊（東京 吉祥寺）
オドラント（福岡 北九州市）

kuna /伊藤真由美
いとうまゆみ

5cmくらいのちいさいものから、手のひらに乗る大きさのベアや動物の人形をつくっいます
http://www.h7.dion.ne.jp/~kuna/
取扱店
AMULET（p. 7 参照）
ninni（東京 高円寺）

pleinpanier

名前 うえだひろこ。2007年3月よりpleinpanier（プランパニエ）として作家活動を始める。主にボタン・レース・花・布などを使い、やわらかくやさしいイメージの作品づくりをしている
http://tammikuu.blog24.fc2.com/
取扱店
AMULET（p. 7 参照）
ZOZOI（東京 池袋）
ca*n*ow Room（東京 高円寺）

鈴木珠基
<small>すずき たまき</small>

イラストレーター。　1998年東邦音楽短大　2003年セツ・モードセミナー　卒業。仕掛けのあるカードを販売したり、雑誌の挿絵、書籍の装画などを製作
http://members3.jcom.home.ne.jp/tam-suzu/
取扱店
AMULET（p.7 参照）Too-ticki（東京 高円寺）
ninni（高円寺）ハイジ（中目黒）
にじ画廊（吉祥寺）三月の羊（西荻窪）
DESPERADO（渋谷）ein shop（自由が丘）

powa*powa*

2003年活動開始。イラストを刺繍した布小物や、粘土やフェルトを使った小さな人形を制作しています。心が和んだり、クスッと笑ってもらえるような作品づくりを心がけています
http://www.powa-powa.com
取扱店
AMULET（p.7 参照）
アリヴェデパール
JAMCOVER（東京 下北沢）
NABI（鎌倉）Shabby Blue（相模原）

MEHER

文化服装学院出身。卒業後活動開始。フェルト素材を中心に使いカードケース、ブックカバー等の布小物や動物をモチーフにアクセサリーを制作しています
取扱店
Cadeau（吉祥寺）
ニヒル牛（東京 西荻窪）

pienilokki

まえだあすか、ハナザトマサミの2人組創作ユニット。委託販売を はじめ、さまざまな催事に出店。企業のアクセサリーデ ザインも手がけています
http:// www.pienilokki.com
取扱店
AMULET（p.7 参照）
Ecoute（横浜）http://www.ecoute.jp

ita

2005年にitaを立ち上げる。主にニット地を使ったバッグ・ポーチ・マスコットなどの布小物を製作。キノコをモチーフにしたり架空のキャラクターをデザインし、いろと手触りにこだわったものづくりをしています
http://itabiyori.exblog.jp/
取扱店
AMULET（p.7 参照）
notre*4（横浜）SpicaRocca（栃木 宇都宮市）
1st annee（横浜）

cotori

イラストレーター。水色×白×ピンクのトリコロールの国を夢見つつ、フレンチレトロなイラストと雑貨を製作。雑貨店での販売、展示を中心に活動中
http://www.geocities.jp/cotori_haruka
取扱店
ミーシカ（東京 西荻窪）
ミュゼット（横浜）
AMULET（p.7 参照）

この本に登場した手づくり作家さんのプロフィール 167

Feltata / フェルタータ

ひとつの手づくりからつながる気持ち。
あたたかで豊かな広がり。ちょこっとあったらいいな、の雑貨をお届けできたら。
布を使った手づくり雑貨を様々なお店、
かたちでお届けしています
http://feltata-home.petit.cc/
取扱店
AMULET （p. 7参照）
珈琲工房HORIGUCHI（狛江店のみ）
シロツメ社　http://shirotsumesha.com/
Tea note　http://www.tea-note.jp/

nami katsumata

女子美術大学工芸科織専攻　卒業後、ヒコみづのジュエリーカレッジにて彫金を学ぶ。手に取るとわくわく楽しい気分になるようなアクセサリー。1点1点銀板を糸ノコで切り抜いて制作
http://nami0806.cocolog-nifty.com/

こむらたのりこ / ko*mu

手のひらにのる、小さなぬいぐるみ、
刺しゅう、アップリケなど、ショップやイベントで発表しています。素朴で暖かなものが好き。著書・朝日新聞社「はじめての刺しゅう　動物&生きものミニステッチ３８０」
取扱店
AMULET （p. 7参照）
Milk Tea House （仙台）
メリーズセレクション（仙台）

Mamaru

粘土を主に使い、羊毛や布など異素材を合わせた人形づくり。あたたかく、小さな存在感や物語を感じられるような作品作りを心がけています
http://soranokobako.blog.so-net.ne.jp/
取扱店
AMULET （p. 7参照）
Lilla Huset （東京 代々木上原）
Too-ticki （東京 高円寺）
ninni （東京 高円寺）
Thimbloom （韓国）

mannenRou /マンネンロウ

高知県在住。2007年より、フェルト、布、糸、紙などを使って製作したものを出品とにかく作る事、古い物、観賞する事が好きなので、その感動を表現する事ができればと思います。何かをつくり出す以上は、素材やモチーフそのものを生かせるものにしたいと楽しいながら悪戦苦闘の日々です
http:www.geocities.jp/
todaimori_mannenrou
取扱店
ピニオン （東京 西荻窪）
Take a nap （和歌山 御坊市）

一ッ木香織 (ひとつぎかおり)

絵を描いたりお話をつくったりするのが好きです。ポストカードや絵本、マッチ等をつくっています。雑貨店での販売や展示会をしたりして活動しています
http://sakurakouji.jugem.jp/
取扱店
AMULET （p.7参照）
Too-ticki（東京 高円寺）
DIFFERENCE ENGINE（東京 水道橋）
Kinotolope（東京 本郷）
ニヒル牛2（東京 西荻窪）ピニオン（西荻窪）

Jaaja a Pokozka

名古屋で喫茶Jaajaを経営する傍ら、イラストや絵本、音楽、雑貨やお面の制作、詩、アニメーションなど、様々な分野で活動しているJaaja.フランスや東欧をはじめ、ヨーロッパ各地の放浪によって生まれた、遠い異国のようでありながらどこか懐かしい童謡のような質感の作品を創ります
Jaaja a Pokozka は、Jaajaと雑貨作家ポコシュカの3人で ブローチの制作をしています
http://www.jaaja.jp/
取扱店
swimmy（高知）
chabbit（福岡 中間市）
モノコト（名古屋）
clueto（神戸）
AMULET （p.7参照）

原田ひこみ (はらだ)

エスモード・ジャポンで洋裁を学び、パリにて語学留学幾年月。趣味は国内外の一人＆家族旅。紙、布の小さなデコパージュをつくりながら、「花田ひみこ」として立体作品、水彩画などの創作活動で細く長く活動しております。
http://decopome.exblog.jp/
取扱店
AMULET （p.7参照）
なのだ書店（埼玉 上尾市）

Rico

乙女のためのアクセサリィをつくっています。アトリエは東京西荻窪。お花と鳥とちょうちょのモチーフがとりわけすきです。ペットは白文鳥のトリタくん。
mixiにコミュニティー「Ricoアクセ」があります。いろいろと情報を書いています
★取扱店募集しています
取扱店
AMULET （p.7参照）

Hongou's Factory　久保瑞絵 (くぼみずえ)

服飾専門学校卒業後、フリーで一点ものの服や雑貨、オーダーメイドの舞台衣装の製作を行う。ワークショップの講師としても活動中。「くりくり」編集室のお店AMULETで、リメイク服の販売を予定しています
http://hongous-factory.cocolog-nifty.com
取扱店
BRIQUE（東京 代官山）http://brique.jp

この本に登場した手づくり作家さんのプロフィール

河村アントン
(かわむら)

絵画、イラストの創作活動を行う。同時に移動式雑貨店「こけもも社」を主宰し、手づくり雑貨を販売。洋服は自分の楽しみとしておもしろたのしく気ままに制作中。本と動物好き
http://kichijojiapartment.com/
http://antonk.exblog.jp/
取扱店
喫茶オリーブの木（北海道 旭川市）
アート楽市（東京 三軒茶屋）にも出展
（毎年10月中旬開催）

BLUE d'art / ブルーダール

かわいいけど重厚感があっておちつきのあるもの。個性的だけどどんな装いにも合うもの。つけるだけで、見るだけで、ディスプレイするだけで、いい気分になれるもの。だれかを喜ばせたりできるようなもの。を、つくっていきたいと思っています
http://www.hi-net.zaq.ne.jp/dart
取扱店
直のアトリエ ブルーダール（神戸）

fiore-tomoco

自然や日常をテーマにワイヤーと様々な素材を組み合わせてメッセージ性のあるアクセサリーをアトリエショップにて制作しています。'96年より個展・企画展への出展や雑貨店等での販売、オーダー承り "fiore wire art jewelry　教室" 主宰などを主な活動としています．
http://fiore.main.jp
取扱店
dent-de-lion（大阪 南堀江）MALLE（神戸）
DUCE MIX（京都）
AMULET（p.7 参照）
cielo azul（静岡）Alpaca（愛媛 新居浜市）

ｊｕｊｕｂｅ

ヴィンテージの布のように、手描きの絵を布に一色ずつ手作業でプリントして、洋服や雑貨を製作して販売しています

tomoon トゥムーン

1965年2月3日生まれ。奈良県在住で1985年頃から洋裁を習い始め、ボタンに興味をもち、かまぼこ工場のＴＶを見たのをヒントに、金太郎飴風なボタンを我流で作り始め他府 県の雑貨店に委託販売を続ける
http://www5.kcn.ne.jp/~tomoon/top.html
取扱店
ALPHABET（京都）Carre's（岡山）
amie（長崎）coudre（愛媛）
SONORITY（島根）AMULET（p.7 参照）
Musette（横浜）hina（盛岡）他

ＡＭＩＴＯ

2006年11月　AMITO活動開始。
楽しく愛らしく優しく　大切な存在となっていただけるように、心を込めてひとつひとつおつくりしています
http://amito1127.exblog.jp/
取扱店
BRIQUE（東京 代官山）
にじ画廊（東京 吉祥寺）
kabanoko
ロジノソラ

むくり

1985年生まれ。2007年6月より手づくり小物ブランド「むくり」を始める
"日常と自然の記憶"をテーマにすべて一点物でオリジナルの樹脂パーツやスパングルを使い、作品制作をしている
http://mukuri.exblog.jp/
取扱店
Too-ticki（東京 高円寺）
sept mignon（大阪本店・立川エキュート店）

equal

サロンドシャポー学院卒。帽子＆コサージュデザイン。ナチュラルな素材感やアンティークテイストを大切にビンテージレースやパーツを取り入れながらていねいな作品づくりを目指して、制作しています
http://blogs.yahoo.co.jp/mash0126

chicolita

２年ほど前からアクセサリーをつくってきました。これから少しずつ活動をはじめていきたいと思っています
よろしくおねがいします

新保光代

子どもの頃から手づくり好きです。真面目に楽しく、長く愛されるものづくりをしていきたいです

KUKKA

KUKKA:フィンランドのことばで＜花＞を意味します。花と暮らす毎日をテーマにさまざまなお花をモチーフにしたアクセサリーを創作しています
http://www14.ocn.ne.jp/~kukka/

conomi

フランスにいたころ、フランス人のおばあさんからかぎ針編みを教わりました。いろいろつくっているうちに、こんなアクセサリーができました
取扱店
AMULET（p.7参照）

この本に登場した手づくり作家さんのプロフィール

坪井みか（つぼい みか）

羊毛フェルトで花のブローチや小さな動物を製作しています。手にした方のそばにいつまでも置いていただけるように、ニードルを片手にひとつひとつていねいに仕上げています

手作り石鹸bonbon savon de…

初めはアロマの勉強の一環として石鹸づくりと出会いました。1か月間じっくり寝かしてつくるＣＰ法で１つずつ手づくりしています。使う方が楽しくなる石鹸を目指して、現在ネットショップ・イベント等で活動しています。
http://www.bonbon-savon-de.com/
取扱店
AMULET （p.7参照）

annas / アンナス

ハンドメイドのぬくもりを大切にした刺繍小物の作品を制作しています。個展をしたり 雑貨屋さんに作品を置いてもらったりしながら活動しています
http://sky.geocities.jp/annas_ocha/
取扱店
AMULET （p.7参照）
ninni （東京 高円寺）
JAMPOT （大阪）

marma*made

お母さんやおばあちゃんの宝石箱や裁縫箱に眠っているコたちを生まれかわらせるお手伝いをしています
取扱店
無二 （群馬 高崎市 イベント時のみ）
chari （群馬 高崎市）
ost＋barn （群馬 太田市）

相馬浩子（そうま ひろこ）

紙バンドを使ったかごづくりを始めて７年目になります。軽くて丈夫な素材を使って、バックをはじめ暮らしの中で使う様々なかごをつくって、生活に取り入れています

知花江麻 / コトリ工房

主に土や植物を素材にした型染め雑貨を制作しています。小鳥柄や南国の動植物たちをモチーフにした作品が特徴。今日もスコップ片手に土探しの旅は続きます

Shocone / いしかわしょうこ

2001年より樹脂粘土・陶土を素材にした、雑貨の制作・販売を始める。「乙女のためのちっちゃな宝物」をテーマに、小さな作品でも、手にした人に幸せを運ぶようなものでありたいとの願いを込め、つくり続けたいと思っています
http://www3.to/shocone
取扱店
Musette（横浜）
JAM POT（大阪）

yuraric / ひろはたゆうこ

古い平屋の一軒家にミシンを置いて日々絵のある手仕事をしています。yuraricという名でおはなしをテーマに手刺繍・革小物・Bag作品を制作しています。1年に数回の個展等にて刺繍やBagの作品を販売しています
http://www.yuraric.com/
取扱店
AMULET （p.7参照）
渋谷東急Bunkamura1F Arts & CraftsShop
安曇野ちひろ美術館ミュージアムショップ

津田 秀

ドイツSchulte社のモヘアを使用したテディベアと、キャンソン・ミ・タントの手づくりカード・絵と文の手づくりドイツ新聞をつくっています。量産はできませんが、時間をいただければ、かわいい作品がつくれます。テディベアのいる空間をひろげていきたいです
取扱店
数年に1度、ドイツで行われるテディベア・トータルに参加のとき出品します

FEVES

2005年より主に富山で企画展やイベント等で制作発表しています。ちびちびと木に色を塗るのが好きで、こけしを中心に制作しています
http://feves.petit.cc
取扱店
cabinet ATELIER （名古屋）

はたのりこ

木製ブローチのほかにオリジナルのポストカードやグリーティングカード・レターセットの制作もしています。つくって楽しく、出来て満足。当たり前のことだけど大事にしたいです
http://piccilo-mondo.lolipop.jp/

この本に登場した手づくり作家さんのプロフィール

すふれ工房
こうぼう

夫婦2人で、羊毛フェルトのちょっととぼけた動物をつくっています。目指すは「リアル過ぎず、かわい過ぎず」。見たらクスっと笑ってしまうようなコを生み出していきたいと思っています
http://soufflenoma.web.fc2.com/
取扱店
timatimaland (大阪)
★事前に連絡をお願いします
 tel.06-6208-0304

有賀千夏
ありがちなつ

多摩美術大学テキスタイルデザイン科卒業。「くりくり」や姉妹誌「SORTIE」のイラストでおなじみの有賀さん。彼女独自のやさしい世界を今回は刺繍で表現してくれました

★「くりくり」no.2のプロフィールより

いしいさくら

2001年多摩美術大学絵画科版画専攻卒業
以後フリーで製作中
http://members2.jcom.home.ne.jp/sakurahime/top.html

★「くりくり」no.7のプロフィールより

イノ ユミ

えんぴつやペンで絵を描いていると時間を忘れてしまう程、絵を描くことが好きなイノユミさん。「みんなのくりくり」への投稿をきっかけに今回のタグづくりに参加してくれました

★「くりくり」no.2のプロフィールより

大久保玲子
おおくぼれいこ

いろ合わせを楽しみながら小物制作をしては、HP (rei☆komurasaki) で発表しています
http://www7a.biglobe.ne.jp/~komurasaki/

★「くりくり」no.6のプロフィールより

モトリーヌ&ロクメー

小さい頃からモノをつくることが好きだった2人が布と糸を使い、独自の感性で自由に作品を制作
HPや個展を中心に作品を発表
http://www.motolokh.com/

★「くりくり」no.7のプロフィールより

沖佐々木タマ
おきささき

岐阜生まれ。花と箱と蜂好き
取扱店
AMULET （p.7 参照）

荒木伸子
あらき のぶこ

女子美術短大グラフィック卒業。個展、いくつかの雑貨店での委託販売等しています。特技：針仕事
作品へのこだわり：いろや素材感
趣味：ピアノ
好きな物：いが栗、英国　夢：絵本作家
http://homepage3.nifty.com/honeydale/
取扱店
AMULET （p.7 参照）
Too-ticki（東京 高円寺）ニヒル牛（西荻窪）
スーベニイル（岐阜）D-link（静岡）

PETIT2 / ぷちぷち

マザーグースや童話などを題材に刺繍やイラストで布雑貨を中心に製作。ハンドメイドのあったかさを活かし、絵本の世界のような、ストーリーを感じる楽しい作品をつくっていきたいと思います
取扱店
motif（愛知 犬山市）
ninni（東京 高円寺）

junk-kitten

大阪府在住
ニット人形『egg pepole！』を2005年から製作開始。日々、新たな"タマゴの人々"ワールドを地道に展開中です
http://www16.ocn.ne.jp/~xkitten/eptop.htm
取扱店
AMULET （p.7 参照）

koimo

懐かしいもの、味があるものが好きで自分でもつくってみたらこんなのが出来ました。懐かしくて頼りなくて、日々の生活がほんのり温かくなるものをつくれたらと思っています
http://www.geocities.jp/koimo310mi/index.htm
取扱店
kw*cafe（栃木 小山市）
http://homepage2.nifty.com/kw-cafe/index.html 他

mica TAKEO / 武尾美加
たけお みか

アンティークとコレクティブルの店「SQUIRREL」のオーナーのかたわら手づくりユニット「カシュカシュクークー」を立ち上げ、イベントなど企画・運営。「toi toi toi !」、「Boribon」他、服や雑貨のブランドにデザインなどで協力。2008年夏、東京にて初の個展「恋とちょうちょ」開催
http://www.kyoto.zaq.ne.jp/squirrel
取扱店
Antiques & Collectibles SQUIRREL（京都）

この本に登場した手づくり作家さんのプロフィール

HANNAH / ハンナ

某国立大学で昆虫生態学を学ぶ。手仕事大好きでアクセサリーづくりの仕事はとてもしあわせです。昔のプラスチックを使って「大人なおもちゃアクセサリー」をつくってます。「シスター社」所属
取扱店
Par Avion（全国各店）
http://www.paravion.co.jp/

miho from tequila sisters

ttp://www.tequila-sisters.com/
取扱店
BRIQUE（東京 代官山）

Lilimellia

http://brique.jp
取扱店
BRIQUE（東京 代官山）
AMULET（p.7 参照）
にじ画廊（東京 吉祥寺）
Marilu（京都）
moca2（広島）

サチ、ユカB / 朱色

都内某服飾専門学校で2人は出会う。就職後、それぞれ、個人的に洋服ブランドを始めるがその時のメンバーとは、長続きせず、2005年のデザインフェスタ出場をキッカケに、2人でブランド＝朱色＝を始める。2人の好きな色の絵の具を、少しずつ混ぜて出来た色が朱色だったため、ブランド名にしました＾＾。日々のコーディネートにそっと加わる様な、優しい服づくりをしています。全身で朱色を着て欲しい!!という強い主張はなく、日々のナチュラルな着こなしの中に取り入れて、その中でパッと個性が映える様な、そういう作品をつくり続けていきたいです。そして、身に着けていると、ウキウキしてくる、あの感覚を、作品を通して伝えたいです
http://www.shu-iro.com/
取扱店
BRIQUE（東京 代官山）
le petit marche（名古屋）

かわいい手づくり雑貨　1000の手芸

編　集　　くりくり編集室

撮　影　　わだりか　佐藤康　星野スミレ
モデル　　かおりん　もりっち　まゆたん　阿部彩　落合絵梨子

発　行　　株式会社 二見書房
　　　　　東京都 千代田区三崎町2-18-11
　　　　　Tel. 03-3515-2311（営業）　03-3515-2314（編集）
　　　　　振替　00170-4-2639

印刷・製本　図書印刷株式会社
落丁、乱丁本はお取り替えします。定価はカバーに表示してあります。

© TOYSHA 2008, Printed in Japan.
ISBN978-4-576-08168-7
www.futami.co.jp